Présenter mes projets et services avec brio

2495

Les Éditions Transcontinental
1100, boul. René-Lévesque Ouest
24e étage
Montréal (Québec) H3B 4X9
Tél.: (514) 392-9000
        1 800 361-5479
www.livres.transcontinental.ca

Les Éditions de la Fondation de l'entrepreneurship
160, 76e Rue Est
Bureau 250
Charlesbourg (Québec) G1H 7H6
Tél.: (418) 646-1994
        1 800 661-2160
www.entrepreneurship.qc.ca

La collection *Entreprendre* est une initiative conjointe de la Fondation de l'entrepreneurship et des Éditions Transcontinental afin de répondre aux besoins des futurs et des nouveaux entrepreneurs.

Données de catalogage avant publication (Canada)
Chiasson, Marc, 1949-
Présenter mes projets et services avec brio
Collection *Entreprendre*
Publié en collaboration avec Éditions de la Fondation de l'entrepreneurship
ISBN 2-89472-141-2 (Transcontinental)
ISBN 2-89521-018-7 (Éditions de la Fondation de l'entrepreneurship)
1. Présentations (Affaires). I. Titre. II. Collection : Entreprendre (Montréal, Québec)
HF571822.C44 2000   658.4'52   C00-941201-B

Révision et correction : Lyne M. Roy, Bianca Côté
Mise en pages et conception graphique de la page couverture : Studio Andrée Robillard

La forme masculine non marquée désigne les femmes et les hommes.

Imprimé au Canada
© Les Éditions Transcontinental inc.
et Les Éditions de la Fondation de l'entrepreneurship, 2000
Dépôt légal — 3e trimestre 2000
Bibliothèque nationale du Québec
Bibliothèque nationale du Canada

ISBN 2-89472-141-2 (Les Éditions)
ISBN 2-89521-018-7 (La Fondation)

Nous reconnaissons, pour nos activités d'édition, l'aide financière du gouvernement du Canada, par l'entremise du Programme d'aide au développement de l'industrie de l'édition (PADIÉ), ainsi que celle du gouvernement du Québec (SODEC), par l'entremise du Programme d'aide aux entreprises du livre et de l'édition spécialisée.

MARC CHIASSON

Présenter mes projets et services avec brio

Les Éditions
TRANSCONTINENTAL inc.

LES ÉDITIONS DE LA FONDATION DE
l'entrepreneurship

Remerciements

Que j'aie réussi à écrire un nouveau livre illustre mon ambition et souligne l'apport des gens qui m'ont aidé à la développer :

Mes parents, le médecin acadien et l'institutrice gaspésienne, qui m'ont appris à penser et à persévérer. Lise Frève, que j'aime et admire de plus en plus. Serge Belisle, cette fois-ci pour avoir écouté quand ça comptait. Clément Gagnon, à côté de qui je me sens parfois débutant. Les réviseurs des Éditions Transcontinental, grâce à qui mes idées sont claires et bien écrites.

Je remercie des collaborateurs qui, en me prêtant leurs compétences et leurs forces, ont fait de moi un présentateur de talent :

Marie Brouillet, Hugo Leclair et Chantal Dauray (DBSF/Formatout), qui ont encadré et soutenu mes belles présentations devant les gestionnaires de classe mondiale à Domtar, à la Banque Nationale, à Standard Life, à Petro-Canada et à Nortel Networks. Jean Goulet (doyen de la Faculté des sciences, Université de Sherbrooke), pour avoir simplifié mes idées. René Houle (Raymond, Chabot, Grant, Thronton), parce qu'il a investi son temps et son talent pour m'aider. Christiane Morin (Centre Synergie, Centre de suivi aux entreprises), dont le côtoiement me rend plus créatif et plus organisé. Jean-René Tétreault (Service des stages et du placement, Université de Sherbrooke), dont je respecte la compétence et apprécie la franchise. Louis Jacques Filion et son groupe-cours en entrepreneuriat (HEC) qui, en quelques minutes, m'ont fait passer de conférencier à étudiant attentif. Gina Gaudreault et Sylvain Tremblay (Regroupement des centres-villes) de qui j'accepte régulièrement de beaux défis. Suzie Harvey et Roxane Niquet (Concours québécois en entrepreneurship) qui ont découvert « le chaînon manquant » de ce livre. Marc-André Poitras (équipier de banquet à l'Hôtel Radisson de Longueuil, maintenant employé au Club Med) qui sait instantanément évaluer un conférencier en examinant les dessins laissés par les participants sur les blocs-notes d'hôtel. Enfin, les jeunes de l'école Jaanimmarik à Kuujjuac, qui m'ont aidé à réussir l'une de mes plus belles présentations :

FONDATION DE l'entrepreneurship

La Fondation de l'entrepreneurship œuvre au développement économique et social en préconisant la multiplication d'entreprises capables de créer de l'emploi et de favoriser la richesse collective.

Elle cherche à dépister les personnes douées pour entreprendre et encourage les entrepreneurs à progresser en facilitant leur formation par la production d'ouvrages, la tenue de colloques ou de concours.

Son action s'étend à toutes les sphères de la société de façon à promouvoir un environnement favorable à la création et à l'expansion des entreprises.

La Fondation peut s'acquitter de sa mission grâce à l'expertise et au soutien financier de plusieurs organismes. Elle rend un hommage particulier à ses **partenaires** :

 Caisse de Dépôt et Placement du Québec

ses **associés gouvernementaux** :

  Développement des ressources humaines / Human Resources Development

  Développement économique Canada / Canada Economic Development

Canada

et remercie ses **gouverneurs** :

 EMPLOI-QUÉBEC Québec

Cossette

 *TELESYSTEME*

 MARTIN INTERNATIONAL

 FEMMES D'AFFAIRES DU QUÉBEC INC.

 praxcim

 FÉDÉRATION QUÉBÉCOISE DES MUNICIPALITÉS

 Ville de Montréal

 LE FONDS DE SOLIDARITÉ DES TRAVAILLEURS DU QUÉBEC (FTQ)

 CLD QUÉBEC-VANIER Centre local de développement

 CYBERNETIQUE technologie

Raymond Chabot Grant Thornton

Table des matières

Introduction

Pourquoi PROcrastiner ?

Nous avons plus de paresse dans l'esprit que dans le corps.

LA ROCHEFOUCAULD

La présentation d'un projet et le billard : beaucoup de similitudes

La comparaison entre la présentation d'un projet ou d'un service et le billard donne une vision des principes, des stratégies et des tactiques liés aux activités de présentation.

Le calcul des angles et de la force de frappe ainsi que la prévision des conséquences d'un coup demandent une grande capacité intellectuelle. De plus, l'exercice exige beaucoup de dextérité manuelle et de concentration. Au Moyen Âge, le billard était pratiqué par les membres des classes sociales supérieures. Cette activité connaît aujourd'hui un regain de popularité auprès des gens d'affaires. Ceux-ci y trouvent un loisir qui reflète les valeurs de planification, de stratégies et de tactiques.

Les joueurs occasionnels ou expérimentés apprécieront ces comparaisons. Les lecteurs qui n'ont jamais joué à ce jeu sont invités à effectuer une visite dans une salle de billard et à observer des joueurs habiles ; la comparaison deviendra évidente.

Nous vous présentons ci-dessous quelques similitudes entre une partie de billard et une présentation de services professionnels.

- L'action se déroule entre deux joueurs, parfois devant des spectateurs.

- Sur ce terrain limité se jouent plusieurs jeux, allant du plus simple au plus complexe.

- Les joueurs interviennent en alternance, souvent à la suite d'une erreur de calcul ou d'un geste maladroit de la part de l'autre.

- Dès le début de la partie, tout joueur tente de percevoir les intérêts, les forces et les faiblesses de son vis-à-vis.

- Chaque coup est choisi en fonction d'un objectif et d'une stratégie tenant compte de ses compétences… et de celles du vis-à-vis.

- On doit demeurer calme et confiant, surtout quand la situation se corse.

- On « met de l'effet » dans ses coups et on pense aux conséquences de son coup.

- On tente de faire un gain à chaque coup, de se positionner pour le prochain ou à tout le moins de rendre difficile le coup de son vis-à-vis.

- On doit réfléchir vite et bien, puis agir avec juste assez de force, jamais trop.

- On doit, selon le jeu choisi, annoncer d'avance son coup.

L'analogie entre une partie de billard et une présentation paraît claire ? Pour ceux et celles qui apprécient davantage le plein air, vous pouvez transposer cette analogie à la pratique du golf, une activité qui est en plusieurs points similaire au billard !

Procrastiner, par crainte

Le terme *procrastination* a probablement été imaginé par des gens qui voulaient éviter de dire *remettre à plus tard et sans raison valable ce qui doit être fait tout de suite.* Plusieurs excuses sont invoquées pour remettre à demain (ou à quelqu'un d'autre) la présentation d'aujourd'hui. En voici quelques-unes.

Je ne suis pas un vendeur itinérant. Vous êtes un expert sérieux ; l'idée de faire de la vente ne correspond pas à la perception que vous entretenez de votre fonction. Vous espérez que votre firme embauche un pro en matière de sollicitation. Votre confiance en la publicité cache une certaine peur d'être le centre d'attention. En d'autres mots, vous avez peur de vous-même.

Je ne connais pas ces gens. Vous vous méfiez des inconnus, surtout de ceux qui ont du pouvoir. Un geste mal calculé, une parole de trop peuvent servir d'arme à ces adversaires. Vous présumez de la mauvaise foi des inconnus, alors qu'il serait tout aussi logique de présumer de leur curiosité. Au fond, vous avez peur des autres.

Le contexte n'est pas favorable. Perfectionniste, vous croyez toujours être mal préparé. Espérant recevoir bientôt les renseignements qui vous manquent pour avancer, vous remettez à plus tard les décisions et les actions. Peut-on conclure que vous aimez davantage les projets que la réussite ?

J'ai déjà mon réseau de contacts dans ces milieux. Vous cultivez des contacts personnels et sociaux avec des gens de certains milieux et vous êtes persuadé que le bouche à oreille donnera des résultats en temps opportun. Vous croyez que les bons professionnels et les bons clients forment une sorte de caste. En fin de compte, vous percevez le monde comme on le faisait au Moyen Âge.

Je mérite une meilleure publicité. Vous estimez révolue l'époque des commis voyageurs et vous croyez au pouvoir phénoménal des outils publicitaires. Pourtant, les comités et les conseils d'administration sont encore composés d'êtres humains. Au fond de vous-même s'active une mentalité de technocrate où la mécanique écrase l'organique.

Procrastiner, par calcul

Les entrepreneurs prennent des décisions basées sur des données incomplètes mais suffisantes. Ils considèrent la recherche, le contenu, l'empathie, le *timing* comme des outils de travail d'importance égale. La gestion des conditions gagnantes est une activité sérieuse. Si vous reconnaissez votre manière de penser et d'agir dans les deux conditions suivantes, vous avez de l'ambition et du talent !

Je vais adapter ma présentation aux mœurs et aux coutumes de ce client potentiel. Vous percevez votre scénario de présentation comme un outil adaptable. Grâce à des expressions comme « dès que », « lorsque » et « en fonction de », vous entrevoyez plusieurs options. Vous savez repérer des conditions justifiant un délai stratégique. Un petit défi : déterminez si vous êtes capable de percevoir les conditions qui justifient le décalage ou le changement d'angle de votre présentation.

Affirmations	Oui	Non
Je connais au moins quatre critères d'évaluation qu'utilise le client visé.	❑	❑
Je connais la procédure décisionnelle de l'entreprise visée.	❑	❑
Je repère rapidement dans un groupe le « décideur » et l' « influenceur ».	❑	❑
Je connais deux slogans publicitaires de l'entreprise visée et une douzaine de mots clés qui figurent dans sa plus récente brochure.	❑	❑

Un fin stratège répond oui trois fois sur quatre.

Où me mènera mon premier geste, ma première phrase ? Vous réfléchissez comme un bon joueur de billard, en soupesant vos options, en agissant en fonction d'un objectif et d'une stratégie. Petit défi : prenez position par rapport aux affirmations suivantes.

Affirmations	Oui	Non
Je connais à 2 % près ma marge de manœuvre financière.	❑	❑
Je peux utiliser de cinq manières imagées le slogan de ma firme.	❑	❑
J'ai l'appui d'un collègue qui connaît aussi bien ce dossier que moi.	❑	❑
J'ai en tête deux solutions de rechange face à une objection majeure.	❑	❑

Pouvez-vous répondre oui trois fois, surtout à la dernière affirmation ? L'un des préalables au succès est la connaissance du comité et de l'entreprise visés.

PROGRAMMER SA MANIÈRE
DE VOIR, DE PENSER
ET D'INTERAGIR

La confiance qu'on a en soi fait naître
la plus grande partie de celle qu'on a aux autres.
LA ROCHEFOUCAULD

Nous devons nous adapter à notre époque et à notre environnement. Nous gagnons à revoir de manière franche et créative des valeurs, des réflexes et des compétences de base en fonction de la nouvelle réalité. Nous nous basons trop facilement sur des trucs et ou des recettes d'une autre époque ou d'un vécu lointain.

1.1   Élargir sa vision

Devenir généraliste dans son approche et spécialiste sur le plan des compétences. Vous connaissez bien votre produit ou service et vous pouvez en expliquer les détails même aux comités de sélection les plus inquisiteurs. Votre fierté est-elle liée à cette capacité ? Vous êtes donc un spécialiste qui a tendance à s'embourber dans les détails. Entrez dans le nouveau millénaire avec des compétences de généraliste. Vous devez enrichir votre perception de vos produits ou services, mais du point de vue des aspirations, des désirs et des contraintes des clients visés. Jadis, vous auriez proposé une démonstration technique complète. Aujourd'hui, vous commenceriez par visiter l'entreprise du client potentiel, puis vous lui poseriez des questions sur ses ambitions et ses projets.

Devenir collaborateur et non conquérant. Vous avez pour objectif de décrocher un contrat à vos conditions en déjouant les objections et les esquives des sceptiques? Vous vivez encore dans le passé! Aujourd'hui, vous devez entrevoir la présentation comme une interrelation où chacun présente ses points de vue et ses valeurs. Une présentation moderne vise davantage à faire ressortir des affinités qu'à démontrer que l'on a de la poigne.

Devenir confident et non orateur. Vous avez préparé une belle présentation qui contient un savant mélange d'information, d'anecdotes et d'esquives? Vous avez suivi des cours de diction et peut-être même d'art dramatique? Vous faites donc revivre des tactiques qui ont bien servi vos prédécesseurs! Sachez que l'on apprend davantage en écoutant qu'en parlant. Votre client potentiel vous informera s'il sent qu'il a devant lui quelqu'un qui sait poser des questions et qui s'intéresse à ses propos. Savez-vous obtenir un renseignement très précis en posant une question d'apparence anodine? Pouvez-vous poser la même question de deux façons distinctes afin de vérifier la valeur d'une réponse? Êtes-vous en mesure de donner votre point de vue en formulant une question?

Devenir animateur et non conférencier. Votre présentation est-elle aussi bien préparée que le bulletin d'un lecteur de nouvelles? Occupez-vous toute le période qui vous est accordée? Si vous voulez réussir au cours des années qui viennent, amenez les gens à se parler et évitez de monopoliser le micro. Les participants à une rencontre en arrivent plus vite à une décision en se parlant qu'en écoutant un discours, si beau soit-il! Savez-vous donner la parole à un participant susceptible d'appuyer votre point de vue? Pouvez-vous habilement encourager un membre d'un comité d'évaluation à exprimer ses appréhensions par rapport à votre offre? Cherchez-vous à comprendre les contraintes du client? Pouvez-vous amener un participant à défendre votre point de vue auprès d'un autre méfiant? Parfaire ce talent fera de vous un présentateur respecté.

Devenir visionnaire et non spectateur du présent. Vous vivez intensément le moment présent et vous tentez de convaincre votre vis-à-vis? À certains égards, vous ressemblez à un personnage de vieux westerns, cartes dans une main, pistolet dans l'autre. Les mœurs d'aujourd'hui font d'une présentation une relation basée à la fois sur l'objectivité et la subjectivité. On passe de la formule « Je-ici-maintenant » à la formule « Nous-ailleurs-tout à l'heure ». Avez-vous une idée claire du processus décisionnel de l'entreprise que vous courtisez? Savez-vous qui prend la décision finale et sur qui cette personne s'appuie? Faire une présentation, c'est comme de frapper une bille de billard en lui donnant de l'effet : elle peut changer de direction à l'aide d'une bille sur son chemin, puis rebondir sur la bande pour enfin se rendre exactement là où vous le vouliez.

1.2   Afficher ses valeurs de plusieurs façons

Les gens que vous voulez convaincre peuvent douter de votre expertise ou de l'authenticité de votre diplôme, contester vos chiffres ou réfuter vos plans et échéanciers. Plusieurs décideurs y excellent! Ils ont cependant tendance à considérer comme authentique votre langage non verbal, votre comportement, votre attitude et votre vocabulaire. Ils déduiront de ces éléments le profil de vos valeurs professionnelles et humaines. Ce jugement peut être plus ou moins rapide, mais il est presque toujours sans appel. Voici quelques exemples des perceptions et des jugements qui vous attendent.

Comportement	Interprétation probable
Vous faites inconsciemment des gestes secs et irréguliers.	Il est nerveux !
Vous lancez un flot de mots et d'expressions négatives.	Elle est pessimiste…
Vos propos calmes sont contredits par des tics nerveux.	Il bluffe…
Votre contact avec la réceptionniste est peu courtois.	Quelle arrogance !
Vous évitez « habilement » de répondre à une question.	Elle esquive un problème.

Évitons le piège du spectacle et mettons de l'avant un mode de persuasion qui incite à la responsabilisation autant de soi que de ses vis-à-vis. Vous gagnez à mettre au point des tactiques imaginatives qui correspondent à la fois à votre personnalité et aux valeurs de ceux qui vous font face.

1.2.1 Préférer la solution à la victoire

Il faut un changement radical de perception pour que l'on arrive à trouver et à offrir une solution plutôt que de vouloir obtenir la victoire. On obtient une victoire seulement si l'autre subit une défaite. Comme une présentation est une relation délicate, les deux parties doivent constamment percevoir que leurs intérêts sont respectés. Vous croyez être un as en la matière ? Relevez le défi suivant pour évaluer votre attitude.

**Relevez l'attitude « solution » ou « victoire »
des phrases suivantes, en imaginant
que vous les utilisez devant un comité de sélection.**

	Victoire	Solution
1. « Je perçois une hésitation de votre part. Examinons-la maintenant. »	❑	❑
2. « Je peux vous fournir des preuves supplémentaires, mais cela prendra du temps. »	❑	❑
3. « Prenons, de part et d'autre, une heure pour consulter nos comptables. »	❑	❑
4. « Croyez-moi, c'est ma dernière concession. »	❑	❑
5. « Vous doutez de mon échéance, mais c'est *vous* qui voulez aller vite ! »	❑	❑

Réponses : 2-4-5 = relation « victoire/défaite », 1-3 = relation « solution »

Afin de cesser de percevoir une présentation comme un duel plutôt que comme une partie de billard, prenez note des dangers découlant d'une « présentation victoire » :

- Le client se sent perdant et annule le contrat.
- Le client se rend compte de votre stratagème et cherche à se venger.
- Le client impose des ajustements constants.
- Le client vous laisse aller de l'avant, puis décide de ne pas vous payer.

Avez-vous besoin d'autres exemples ?

1.2.2   Privilégier les termes positifs et productifs

Nous avons la curieuse tendance à formuler de manière négative des idées que nous voulons positives. Le petit défi suivant devrait vous faire comprendre qu'il vaut parfois mieux qu'on ne vous écoute pas trop attentivement.

**Repérez, dans les phrases suivantes,
la douzaine d'expressions ou de mots négatifs.**

« Soyez sans crainte, je n'oublierai pas vos normes de qualité… »
« Pas de problème ; je corrige ça sans faute pas plus tard que tout de suite ! »
« Vous ne regretterez pas de choisir notre entreprise dont la réputation est sans tache. »
« Je n'ai pas dit que vous exagériez, non, au contraire… »

Les mots positifs et productifs permettent de réorienter la perception des gens. Les choses ne sont pas « telles qu'elles sont », mais plutôt telles qu'on les perçoit. La force de la perception est telle que bien souvent nous accordons plus d'importance à nos impressions qu'à notre jugement. Vous en doutez ? Demandez-vous si vous écoutez aussi attentivement la présentation d'une personne qui vous agace que celle d'une autre qui vous est agréable. Quel est votre verdict ?

En examinant les quelques substitutions suivantes, vous découvrirez qu'on peut toujours présenter les choses de manière positive tout en demeurant intègre.

Problème devient : *situation, contexte, défi.*

Retard devient : *ajustement, déplacement.*

Danger devient : *préoccupation, souci.*

Limite devient : *caractéristique, zone de performance, sécurité.*

Contrainte devient : *contexte, situation, environnement.*

Avertissement devient : *opinion, avis, commentaire, point de vue, apport.*

Perdu devient : *recherché, rangé ailleurs.*

En outre, les idées affichant votre capacité de trouver des solutions sont certes préférables aux expressions synonymes d'incapacité.

Mais devient : *et, de plus, en conséquence, donc.*

Je ne peux pas devient : *Mon collègue peut, je vous dirige vers lui.*

Je ne savais pas devient : *Vous me l'apprenez, j'en prends note, je vérifie.*

Ce n'est pas bête devient : *C'est fascinant, intéressant, j'en prends note.*

Sans faute devient : *certainement, immédiatement.*

Pas plus tard que... devient : *dès* (moment exact précisé), *avant* (tel jour ou telle heure).

Petite erreur devient : *petit ajustement, légère rectification.*

J'ignore devient : *J'en prends note, j'apprécie la nuance.*

Ah non ! devient : *Ah bon ! eh bien !*

Pas évident! devient: *Voilà tout un défi, une occasion d'offrir une bonne performance, c'est un pensez-y bien.*

1.2.3   Inciter l'autre à participer

Au moment où vous présentez votre offre, il est important de susciter la collaboration de votre client potentiel. L'affirmation, même polie, « Je ne suis pas d'accord sur ce point » incite rarement votre vis-à-vis à demeurer ouvert. Il sera plutôt tenté de maintenir son point de vue, par tactique de négociation ou par orgueil! Voici quelques modifications à apporter à votre vocabulaire pour susciter la participation de votre interlocuteur.

Pas d'accord devient: *Acceptez-vous que je vous donne mon idée ?*

C'est trop risqué devient: *Je veux vous assurer une meilleure sécurité.*

Pourquoi ne pas... devient: *Voulez-vous mon avis sur ce sujet avant de conclure ?*

Je refuse de... devient: *Est-ce la seule option qui s'offre à nous à ce stade ?*

Vous ne pouvez... devient: *Quel objectif visez-vous avec cela ?*

Ce n'est pas inclus devient: *Voulez-vous que je vous explique cette restriction ?*

Je maintiens que... devient: *Que suggérez-vous pour éclaircir cette perception ?*

Répondez-moi devient: *Quelle est votre perception de mon offre à ce stade ?*

Je doute que... devient: *L'opinion de votre associé pourrait-elle clarifier la situation ?*

Vous gagnez à utiliser ces tactiques de manière simple et souple. Voici un défi qui vous permettra d'évaluer votre capacité de communiquer positivement.

Formulez les phrases suivantes de manière positive, sans en changer le sens.

1. « Je regrette, mais je ne peux pas réduire mon prix davantage sans courir de risques. »
2. « J'hésite à vous faire des promesses en l'air ; ce ne serait pas professionnel de ma part. »
3. « On n'a pas encore fini l'analyse du dossier. Notre offre ne devrait pas tarder. »
4. « Malheureusement, je ne peux pas vous rejoindre à 14 h. »
5. « Soyez sans crainte, ma présentation ne dépassera pas le temps prévu. »

Plusieurs réponses sont possibles, dont les suivantes qui dénotent toutes la confiance en soi, la recherche de solution et la volonté d'avancer.

1. « Ce prix reflète notre flexibilité et notre souci de qualité. »
2. « Je peux m'engager sur des éléments dont je suis responsable. »
3. « On précise notre offre aujourd'hui ; elle sera sur votre bureau demain à 9 h. »
4. « Je peux me libérer dès 14 h ; vous voulez confirmer notre rendez-vous ? »
5. « Ma présentation respectera le temps alloué, période de questions incluse. »

1.3   Surveiller son niveau de langue

Vous avez mis de la passion, du temps, de l'énergie et de l'argent pour acquérir les compétences que vous maîtrisez désormais. Vous êtes devenu un professionnel dans votre secteur, si bien qu'utiliser un vocabulaire « professionnel » vous semble aller de soi. Ah oui ?

Si vous êtes fraîchement diplômé, vous avez passé les dernières années dans un environnement technique et rationnel. Probablement que vos clients potentiels ne comprennent que 20 % de vos propos. Si vous êtes un vétéran, vous affichez sans doute une grande aisance et peut-être avez-vous tendance à utiliser le langage du métier en tout temps. Vous voilà dans le même bateau que ceux qui sortent de l'université !

Bien que le langage « du métier » vous aide à communiquer de manière efficace avec des collègues, ce jargon est très souvent mal reçu par le client qui vous invite à faire une présentation. Si celui à qui vous vous adressez connaissait bien votre langage, il n'aurait probablement pas besoin de vos services. La majorité des clients qui écoutent une présentation abstraite ou guindée peuvent :

- douter de la capacité du présentateur à communiquer (« Il s'écoute parler ») ;

- douter de son intention (« Il veut impressionner, mais pourquoi au juste ? ») ;

- douter de sa cible (« À qui parle-t-il au juste ? À un professeur ou à moi ? ») ;

- douter du contenu de son offre (« Des mots de 25 $ pour des idées de 0,25 $! »).

Aussi incroyable que cela puisse paraître, les phrases suivantes ont déjà été prononcées ou écrites par des émetteurs sincères !

Jargon	En d'autres mots...
« Nous allons explorer le niveau d'herméticité de vos conduits. »	« Nous allons déterminer si les tuyaux sont étanches. »
« Cette hypothèse est une extrapolation des données primaires. »	« D'après ce qu'on peut voir à ce moment… »
« Il semble opportun de valider le niveau de corrélation entre l'énoncé initial et les impacts subséquents. »	« Il est temps de vérifier si ça fonctionne comme prévu. »
« Notre plan de régénération des sols implique trois volets saisonniers importants. »	« On va traiter votre gazon trois fois par an. »
« Mes paramètres de rendement installation-démarrage sont homologués parmi les plus performants du secteur. »	« Je peux entreprendre les travaux plus rapidement que la majorité des firmes de la région, preuves à l'appui. »
« Nos services en sécurisation sanitaire vous permettent d'obtenir un rendement optimal d'utilisation. »	« Nos concierges utilisent une cire plus durable, ce qui réduit vos frais d'entretien. »
« Avant de répondre, je dois établir une meilleure corrélation entre vos nouvelles contraintes et notre capacité actuelle de réalisation. »	« Je dois analyser vos nouvelles contraintes avant de répondre. »
« Je considère que votre dernière exigence implique une augmentation indue et unilatérale de risque. »	« Votre dernière exigence nous fait porter seuls un risque trop élevé. »

Recevez comme un avertissement bienveillant la réplique qu'une gestionnaire industrielle chevronnée a lancé à un consultant : « Monsieur, en tant que cliente, je n'ai pas à me forcer pour vous comprendre. C'est à vous de fournir l'effort pour être compris. »

1.4   Maîtriser son langage non verbal

Vos interlocuteurs écoutent peut-être vaguement vos propos, regardent peut-être distraitement votre présentation multimédia. Cependant, ils captent très certainement votre langage non verbal. Sans alourdir ce livre avec une description détaillée du langage non verbal[1], nous vous présentons ici quelques principes de base et quelques applications de ces principes.

Le langage non verbal est constant. Les jeunes enfants sont des experts en la matière, puisqu'ils nous observent attentivement, faute de comprendre le sens de nos mots. Ils savent interpréter nos moindres gestes... et ils se refilent leurs trouvailles en jouant dans le carré de sable ! Ce que nos enfants tout comme les clients visés apprennent de nous tient souvent à l'ampleur de nos gestes.

Devant un client, faites des gestes qui vous viennent naturellement quand vous êtes confiant, mais réduisez leur ampleur. Par exemple :

• Ouvrez et tendez les mains plutôt que d'allonger les bras ;

• Hochez légèrement la tête deux fois plutôt que de la faire rebondir à répétition ;

• Souriez sans montrer les dents plutôt que de rire la bouche ouverte ;

• Déposez près de vous et lentement un document plutôt que de le faire sèchement ;

• Frottez-vous le bout des doigts plutôt que de les croiser.

Chacune de ces suggestions demande une capacité de retenue, de réserve et de discrétion, valeurs qu'apprécient la grande majorité des clients.

Déposer de temps en temps ses lunettes est un geste normal ; les enlever et les remettre toutes les 15 secondes est un signe de

---

[1] Vous trouverez, dans la bibliographie, des titres qui traitent plus en profondeur de ce sujet.

nervosité. Soyez conscient de vos gestes et adoptez ceux qui dénotent la confiance et l'ambition.

Pour y parvenir, demandez à un ami de capter sur vidéocassette votre répétition générale d'une présentation. Visionnez cette vidéo sans le son et à vitesse accélérée. Vous percevrez une série de gestes saccadés extrêmement révélateurs de votre attitude et de votre comportement! Par la suite, exercez-vous à bien intégrer ces gestes dans votre scénario. Ils peuvent soutenir des notions importantes, accentuer un besoin de réflexion ou appuyer vos propos.

Vous pouvez également faire vos apprentissages en remarquant, à la télé, la maîtrise exceptionnelle du langage non verbal des animateurs professionnels. Un cours de communication verbale et non verbale, que suivent bon nombre d'entrepreneurs, de gestionnaires ambitieux et d'avocats, pourrait aussi vous être utile quant à la maîtrise de vos gestes. Bien sûr, le langage non verbal peut transmettre sans aide des messages très clairs, mais celui-ci vient le plus souvent appuyer les propos.

Par exemple, déposer ses lunettes calmement devant soi au moment de répondre à une question hostile est un moyen de laisser voir son sourire. Écouter attentivement (tête légèrement sur le côté, sourire discret) tout en plaçant son crayon sur le bloc-notes peut communiquer un message subtil à un interlocuteur trop insistant: je vous écoute, mais je ne retiendrai pas tout ce que vous dites.

Dans une situation délicate, le verbal et le non-verbal peuvent servir à transmettre deux messages visiblement contradictoires. Quelques exemples: dire que l'on fait une dernière concession pendant qu'on referme assez rapidement un dossier de présentation; verbaliser une volonté de «prendre en note» une nouvelle contrainte tout en déposant clairement son stylo sur la table; tendre les mains de manière amicale vers son interlocuteur tout en affirmant: «Je ne peux vous offrir un prix plus bas et rester en affaires.» Le rapport entre les paroles et les gestes est ici quasi paradoxal. Si vous vous choisissez un mentor, il vous conseillera sur ce sujet.

Se PROtéger...
CONTRE SOi-MÊME

L'art d'être tantôt très audacieux et tantôt très prudent
est l'art de réussir.
NAPOLÉON 1ER

En affaires comme au jeu, on gagne à savoir « bluffer » sans mentir... et à « se protéger » sans se cacher. On doit être transparent et authentique avec ses intimes, mais pas nécessairement avec un client potentiel qui n'a pas envie de se dévoiler lui non plus. Le truc consiste à déterminer lesquelles des facettes de votre personnalité dévoiler.

2.1   Choisir son personnage professionnel

« Je dois être moi-même et authentique en tout temps, sinon je manque de sincérité. » C'est là une tendance à voir les choses de manière intime et absolue qui nous amène trop souvent à valoriser la transparence personnelle dans des situations professionnelles. Au cours d'une présentation, un faux mouvement ou un mot mal choisi peuvent vous coûter la peau des fesses. Ils entraînent des questions inattendues ou des commentaires déstabilisants et vous obligent à chercher des réponses rapides à des questions techniques. Le terrain est donc très peu propice à des exercices de croissance personnelle.

Si vous « vivez » vos émotions au cours d'une présentation, vous risquez de vous dévoiler émotionnellement devant des gens qui, eux, savent presque toujours conserver leurs distances. On réserve sa nudité émotionnelle aux intimes ; devant les autres, on s'habille convenablement ! Un client potentiel, ce n'est pas un ami, mais un inconnu ou une connaissance avec qui vous avez une relation d'affaires.

Il ne s'agit évidemment pas de cacher votre personnalité pour devenir un androïde livrant un message sans expression ni émotion. Il faut plutôt choisir habilement, parmi vos valeurs, celles qui conviennent le mieux à votre tâche de présentateur.

La création d'un « personnage professionnel » est une tactique tout à fait honorable reconnue dans tous les milieux d'affaires. Pouvez-vous percevoir simultanément toutes les facettes d'un diamant ? Votre interlocuteur ne doit pas non plus percevoir toutes vos valeurs en même temps. Il est plus sage de choisir laquelle brillera le plus dans une situation donnée.

Nous possédons tous une subtile gamme d'émotions et de valeurs, qui façonnent notre personnalité, qui affichent notre style particulier et qui orientent nos décisions et nos actions. Cependant, il faut éviter de montrer cette masse de valeurs et d'émotions à des gens qui désirent se faire une opinion nette de vos compétences et une impression claire de vos services. Dans cet ordre. Et en quelques minutes.

En accomplissant la démarche suivante, simple en termes techniques mais difficile sur le plan personnel, vous serez en mesure de projeter l'image d'un vétéran confiant, même si vous n'avez que 25 ans et que vous faites face à votre premier client réticent ou à un comité hostile.

1. Dressez une liste de cinq valeurs ou qualités humaines qui vous caractérisent (ex. : empathie, respect, enthousiasme).	Valeur : Valeur : Valeur : Valeur : Valeur :
2. Parmi ces valeurs, choisissez les deux qui sont utiles au moment d'une présentation (ex. : empathie, curiosité).	Première valeur utile : Deuxième valeur utile :
3. Parmi les valeurs précédentes, choisissez celle qui sera à la base de votre personnage professionnel (ex. : empathie).	Valeur centrale de mon personnage :

Vous avez eu de la difficulté à remplir ce tableau ? Vous pouvez recourir à quelques petits trucs du métier pour vous rendre ce travail plus intéressant.

- Demandez à vos amis et aux membres de votre famille de rédiger une liste de vos valeurs ou qualités. Pour éviter les réponses artificiellement gentilles, proposez-leur de vous transmettre cette liste de façon anonyme.

- Comparez ces listes à la vôtre en repérant les valeurs similaires et contraires.

- Demandez à des collègues de travail de faire une sélection des valeurs ou des qualités les plus susceptibles de vous être utiles dans des situations de travail, puis comparez leur sélection à la vôtre.

- Choisissez deux valeurs finales et testez-les dans plusieurs situations de présentation sans grand risque, soit à l'extérieur de votre réseau habituel de développement.

- Consultez des gens d'affaires d'expérience qui ont démontré leur intérêt à aider les autres (membres de comité, parrains ou marraines, leaders d'opinion, chroniqueurs, etc.). Ces gens peuvent vous donner un feed-back qui n'est nullement teinté du désir d'obtenir de vous un contrat de consultation.

- Évitez justement de consulter des spécialistes, surtout s'ils travaillent à développer leur marché. Ils seront naturellement tentés de ne pas aimer votre personnage pour vous offrir de le travailler avec vous, contre rémunération !

- Rodez deux personnages pendant quelques semaines pour retenir celui qui vous convient le mieux. Si votre travail de présentation touche à plus d'un créneau (ex. : secteurs résidentiel et commercial), conservez ces deux personnages, puisqu'il est peu probable qu'un seul puisse vous servir en toutes circonstances.

- Préparez une liste de dictons, de propos et de jeux de mots qui peuvent former le bagage mental et moral de ce personnage.

- Considérez ce personnage comme un surnom bien mérité. Dans le feu de l'action, surtout devant un imprévu, percevez-vous non pas comme Lise Unetelle, mais bien comme Lise « collaboratrice » Unetelle ; agissez en fonction de ce surnom. Consultez n'importe quel scout et il vous expliquera cette technique ancestrale qui peut profondément modifier votre perception de vous-même et votre potentiel de croissance personnelle.

2.2   Enrichir son personnage professionnel

Vous êtes maintenant en mesure de donner vie à un personnage professionnel crédible et persuasif. Prenons un exemple : le président du groupe à qui vous faites une présentation doute ouvertement de vos compétences. Si vous recevez ce croc-en-jambe de manière personnelle, vous ressentirez une gamme d'émotions et vous risquez de laisser paraître votre malaise. Pis encore, vous risquez de répondre de manière complexe et confuse, ne sachant pas improviser convenablement. Allez-vous ignorer l'interruption, y porter une grande attention, poser une question d'éclaircissement ? Ferez-vous des gestes lents et mesurés ? Hausserez-vous les sourcils ? Baisserez-vous les mains ? Regarderez-vous droit devant ou tout autour ? Tout cela vous fera passer pour un amateur ou, au mieux, pour un débutant.

Cependant, grâce à votre personnage professionnel, vous pourrez parfaitement retourner cette situation à votre avantage. Partons de deux exemples pour vous aider à développer votre personnage.

Comportement du personnage empathique	Comportement du personnage attentif	Comportement de votre personnage
Tête : vers celle qui parle	Tête : vers celle qui parle	Votre tête :
Regard : affichant la curiosité	Regard : alternant entre les documents et l'interlocuteur	Votre regard :
Langage non verbal : retenu (main tendue vers l'autre, léger sourire)	Langage non verbal : plus spontané et gestes balayant l'ensemble du groupe	Votre langage non verbal :
Début de réponse : reflétant l'émotion ou la valeur majeure de l'objection (« Je vois, madame, que vous songez aux risques parfois associés à ce type de service… »)	Début de réponse : faisant référence à des éléments plus techniques (« Parfait ! Vous parlez de sécurité au point trois ; regardons ça ! »)	Votre début de réponse :

Développement : réponse alliant de l'information à des valeurs humaines («Je partage ce souci de sécurité ; je peux développer ce point tout de suite ?»)	Développement : réponse centrée sur des éléments précis (« D'accord, examinons les clauses de contrôle de qualité... »)	Votre développement :

Si vous craignez que l'adoption de ce personnage professionnel soit une forme d'hypocrisie, consultez votre dictionnaire. *Hypocrisie* signifie « prétendre avoir des valeurs ou qualités qu'on ne possède pas ». Or, si la valeur centrale de votre personnage provient directement d'une de vos grandes qualités personnelles, on ne peut parler ici d'hypocrisie, de faux-semblant ou de ruse. Prenez donc plaisir à enrichir votre personnage professionnel. Vous mettrez de l'avant un style reconnaissable devant des gens qui tentent justement de cerner une ou deux de vos valeurs. Vous fabriquerez aussi une sorte de feuille de vigne qui cache la zone intime de votre personnalité que vous réservez à vos proches.

PROduire trois objectifs

*Notre avidité nous fait courir tant de choses à la fois que,
désirant trop les moins importantes, nous manquons les plus considérables.*

LA ROCHEFOUCAULD

On peut jouer au billard pour le plaisir de la chose, tout en voulant améliorer sa performance, perfectionner un coup, rencontrer des amis, oublier ses soucis. Le seul hic, c'est que ce but est souvent inconscient si bien que l'on oublie de formuler son objectif. La petite histoire qui suit illustre parfaitement ce qui arrive quand une présentation est faite sans qu'un objectif soit visé.

Entrepreneur :	« Ma présentation a été parfaite ! Le client a accepté sans hésiter. »
Associée :	« Ah, bon… »
Entrepreneur :	« Pourquoi ne souris-tu pas autant que moi ? »
Associée :	« Ton prix était probablement trop bas. »
Entrepreneur :	« Comment le sais-tu ? Tu n'étais pas là ! »
Associée :	« Un client qui accepte trop rapidement s'attendait à payer davantage. »
Entrepreneur :	« Oups ! »

3.1   Les catégories d'objectifs

Les inquiets ont peur d'entamer une présentation et les fonceurs ont peur de la finir. Un habile présentateur travaille de manière plus subtile. À partir de l'exemple suivant, relevez deux objectifs stratégiques autres que celui de « signer le contrat ».

Obtenir un accord pour acheminer un dessin préliminaire directement au PDG de la firme visée.

Obtenir un accord pour que mon entreprise soit considérée comme l'une des trois soumissionnaires finalistes.

Recevoir un appui positif du comité d'évaluation quant à la qualité de mon plan sommaire.

Obtenir de la directrice des projets un engagement formel de me faire visiter le terrain où sera érigé le pont.

Cet exercice vous a plu ? Vous avez le potentiel pour devenir un as en matière de conception d'objectifs de présentation. Afin de vous aider à mieux saisir les tactiques qui suivront, explorons plusieurs types d'objectifs.

3.1.1   L'objectif de type relationnel

L'objectif de type relationnel est souvent utilisé dans une présentation devant un client très peu connu. Ce type d'objectif vise surtout à créer une certaine empathie susceptible d'établir un climat de confiance et de respect. Voici quelques exemples :

- Obtenir un avis préliminaire de la part du client.

- Obtenir la permission d'entreprendre des démarches exploratoires.

- Obtenir du client visé qu'il accepte une rencontre informelle de discussion pour adapter les niveaux de perception ou les manières de communiquer.

Quels seraient *vos* objectifs de type relationnel ?

3.1.2   L'objectif de type étapiste

L'étapisme est habituellement utile lorsque la présentation porte sur un produit ou un service complexe. On vise ici à établir un rythme de progression devant un client très structuré ou pour une procédure très technique. Des exemples :

- Obtenir la permission de procéder à une prochaine étape avant la décision finale.

- Obtenir un accord pour créer un sous-comité afin d'étudier un aspect de l'offre, ce qui permet d'avancer en remettant à plus tard un point litigieux.

Quels sont *vos* objectifs de type étapiste ?

3.1.3   L'objectif de type concurrentiel

L'objectif de type concurrentiel est fréquemment utilisé quand vous ignorez la force de la concurrence. On tente ici d'établir son rapport de force par rapport aux concurrents. Des exemples :

- Obtenir une idée ou une opinion sur son rapport de force vis-à-vis un concurrent.

- Obtenir une opinion sur ses points forts par rapport à ceux des concurrents.

Pouvez-vous vous fixer des objectifs de ce type ?

3.1.4   L'objectif de type collaboration

Lorsque vous n'êtes pas en mesure d'accomplir vous-même la totalité du contrat sollicité, proposez un objectif de type collaboration. L'entrepreneur en phase de lancement ou celui qui connaît une croissance rapide ont intérêt à viser ce type d'objectif, dont voici quelques exemples :

- Obtenir la participation de collaborateurs pour réaliser un volet, s'occuper de la livraison, de l'entretien, etc.

- Obtenir une aide technique préalable à la transaction pour pallier certaines lacunes, celles reliées à la technologie par exemple.

Avez-vous ce type d'objectif ?

3.1.5   L'objectif de type crédibilité

Lorsque vous faites une présentation à des gens dont vous ne connaissez ni la réputation ni le degré de crédibilité dans leur milieu, ou à d'autres qui ignorent votre compétence, les objectifs de type crédibilité sont pertinents. Si vous tentez d'élargir votre territoire d'affaires, inspirez-vous de ces exemples :

- Obtenir une évaluation de votre entreprise, de votre produit ou service, etc.

- Obtenir de l'information sur le réseau d'affaires des gens visés.

Avez-vous d'autres objectifs de type crédibilité ?

3.1.6 L'objectif de type conclusion
(signature d'une entente formelle)

L'objectif de type conclusion vise l'obtention d'un contrat. Vous êtes surpris de voir ce type d'objectif en fin de liste ? Détrompez-vous ! La majorité des présentations n'incluent même pas cet objectif, et pour cause : la plupart des contrats exigent au moins deux rencontres de travail. En visant constamment un objectif de type conclusion, vous risquez de paraître trop empressé aux yeux du décideur. C'est ici un aspect central qui distingue la vente « résidentielle » de la sollicitation *business to business* : dans le premier cas, on vise presque toujours une vente dès la première rencontre ; dans le second, plusieurs éléments doivent être présentés et négociés. Imaginez-vous devant une table de billard avec une demi-douzaine de billes à caler dans les poches : quelles sont vos chances d'y parvenir d'un coup ?

Cette liste pourrait être plus longue et plus nuancée, surtout pour des projets qui exigent jusqu'à sept ou huit présentations.

3.2 Un objectif, une phrase

Pour les besoins de notre démonstration, soyons pessimistes pendant 30 secondes. En voulant viser haut, vous risquez de vous limiter à vos peurs fatalistes ou de déraper avec des ambitions irréalistes. Si vous n'établissez qu'un objectif, vous risquez de trop y tenir, au point de perdre votre marge de manœuvre.

Soyons maintenant optimistes, pour les besoins de votre prochaine présentation. Examinez l'objectif initial d'un ingénieur en bâtiment qui compte offrir ses services à un entrepreneur ayant annoncé la construction d'un centre commercial.

Objectif initial	Éléments à clarifier rapidement !
Je veux ce contrat incluant l'analyse du projet et la conception de la structure, le tout à un prix compétitif.	Qui est ce *je* ? L'ingénieur ou une équipe ? *Obtenir* signifie-t-il signer le contrat, recevoir un acompte ou quoi d'autre ? Un prix compétitif avec quel pourcentage de profit ? Décrocher le contrat pour quelle date ? De quelle analyse s'agit-il au juste ? La conception de la structure sera sous quelle forme ?

Cet ingénieur gagne à activer ses neurones et à tailler son crayon ! S'il donne une structure à son ambition, voici ce que devient son objectif de base.

Même objectif, deuxième essai :
Comme ma firme désire viser le créneau des grandes structures commerciales, nous voulons signer, d'ici au 30 mars, un contrat en deux volets (analyse du projet et conception de la structure jusqu'à la maquette finale), à un prix basé sur un profit brut de 20 %, et si possible en étant invités à soumissionner.

Ce deuxième énoncé, à la fois créatif et productif, comporte tous les éléments clés d'un bon objectif, soit :

• une référence à une ambition de l'entreprise (créneau) ;

• une échéance claire (date) ;

• une preuve (signature) ;

• une échelle de profit (20 % brut) ;

• une mention du processus (l'invitation à soumissionner) ;

• une description très sommaire du contenu (deux volets).

Avec cet objectif précis, notre ingénieur saura se préparer, se présenter et s'attirer le respect d'un comité, même sanguinaire !

Un habile présentateur se fixe un objectif « magique » (optimal), puis prévoit un objectif stratégique (de rechange) et envisage un objectif critique (minimal). Avec trois objectifs, vous conserverez une exceptionnelle marge de manœuvre en toute situation. Voici cinq exemples de cette marge de manœuvre :

- Vous demeurerez calme devant les réactions des gens à qui vous vous adressez.

- Vous afficherez une confiance à toute épreuve.

- Vous proposerez sans crainte des ajustements immédiats.

- Vous cesserez de viser « trop-haut, trop-fort, trop-vite ».

- Vous réviserez vos attentes, vos demandes et vos concessions.

3.2.1   Établir un objectif magique

Un objectif magique représente la limite optimale à la portée de votre compétence, de vos ressources et de votre capacité de persuasion. En atteignant cet objectif, vous êtes dans l'obligation de fêter votre réussite et de partager le succès avec vos collègues, sur qui repose la majeure partie de votre succès. À l'aide de l'exemple qui suit, exercez-vous à formuler un objectif magique.

L'objectif magique d'un consultant en relations publiques	Votre objectif magique
Signer, avant la fin du mois prochain, un contrat de 70 000 $ avec le siège social du réseau Untel, portant sur la conception et l'implantation d'un plan directeur de relations de presse en situation de crise.	

3.2.2   Prévoir un objectif stratégique

Cet objectif de repli ou de rechange représente une révision de vos attentes, assez claire pour être immédiatement perçue, mais assez modeste pour ne pas vous déstabiliser. Il ne s'agit pas nécessairement d'un recul ; le plus souvent, il s'agit d'un pas de côté. Si vous atteignez cet objectif, vous êtes fier et vous pouvez fêter, un peu plus modestement, mais toujours accompagné de ceux sur qui vous comptez.

L'objectif stratégique d'un consultant en relations publiques	Votre objectif stratégique
Avoir signé une entente de principe, avant la fin du mois prochain, pour un contrat de 50 000 $ avec le siège social du réseau Untel, portant sur la conception (pas l'implantation) d'un plan directeur de relations de presse en situation de crise.	

3.2.3   Entrevoir un objectif minimal

Cet objectif « de dernier retranchement » représente le seuil critique de votre offre, lié à votre seuil de rentabilité (à moins que le contrat sollicité soit modeste et justifie une perte financière contre un avantage stratégique ultérieur). Si le contrat obtenu correspond à votre objectif minimal, vous êtes plutôt nerveux et pas tellement tenté de fêter la chose. Fêter ce niveau de performance mène souvent à une attitude de complaisance et entraîne un comportement empreint de paresse.

L'objectif minimal d'un consultant en relations publiques	Votre objectif minimal
Avoir signé une entente de principe, avant la fin du mois prochain, pour un contrat de 14 000 $ avec le siège social du réseau Untel, comportant une analyse de la situation et un plan de base en relations de presse centré sur les situations de développement de l'entreprise cliente.	

Afficher son PROfessionnalisme

Nous gagnerions plus de nous laisser voir tels que nous sommes,
que d'essayer de paraître ce que nous ne sommes pas.
LA ROCHEFOUCAULD

Les membres de comité, les gestionnaires et clients d'affaires... ces gens connaissent les signes de compétence ou d'incompétence de ceux qui leur présentent des projets ou des produits. Un nombre croissant de ces individus proposent à leurs soumissionnaires des présentations collectives regroupant en rafale des présentations de plusieurs firmes. Nous vous suggérons quelques méthodes utilisées par des gens qui ont vu parader des centaines de présentateurs. Nous vous montrons plusieurs façons qu'utilisent ces gens pour évaluer votre professionnalisme.

4.1 Les « preuves de professionnalisme » sont-elles toujours pertinentes ?

Un diplôme universitaire est souvent un indice de validation fidèle, mais peut aussi avoir été obtenu par la peau des fesses ou par des tactiques frauduleuses.

Une carte de membre à une corporation ou à une association peut suggérer qu'une personne est membre d'un regroupement sérieux, mais il se peut aussi que ce soit son entreprise qui soit membre ou encore que l'adhésion soit automatique. Si elle est assujettie à un examen, cela devient déjà plus crédible.

Un certificat national ou international de qualité (pensez à ISO) est presque toujours un signe de rigueur, mais il ne garantit pas pour autant la qualité formelle des services.

Un prix d'excellence peut afficher la cote d'appréciation d'un comité de sélection sectoriel, mais peut également refléter les « penchants » d'un comité de sélection.

Une lettre de recommandation élogieuse peut fournir d'excellentes données sur l'appréciation de certains clients, mais peut aussi être le résultat d'un « échange de faveurs ». La complicité supplante alors la vérité.

Une documentation impressionnante, comme un cédérom interactif ou un portfolio bien garni, peut démontrer le sérieux et l'ambition du professionnel, mais peut aussi être le résultat d'un gros budget de marketing.

Les documents de présentation (portfolio, maquette, rapports, etc.) servent souvent de miroir à votre personnalité. Songez à la curieuse manière qu'ont certains clients de jeter un œil tant sur vos documents que sur votre personne. Votre client établit le degré de cohésion entre la teneur de vos documents et votre personnalité. Vos « juges » ont lu vos documents de présentation reçus par la poste ou par courriel et ils tentent maintenant de percevoir la cohésion entre le message de l'entreprise et vos propos.

4.2   Les clients nous « jugent » de manière habile

Le professionnel pose-t-il une vingtaine de questions, importantes ou futiles ? Concernent-elles autant le matériel informatique que nos priorités, nos projets, nos contraintes, notre place dans un marché concurrentiel ?

Prend-il des notes quand il écoute ? Il ne doit pas se contenter de hocher distraitement la tête. Un modeste petit carnet de notes prouve qu'il veut retenir nos propos.

Résume-t-il nos questions importantes avant d'y répondre ? Évidemment, la réponse doit être située dans la lignée de notre analyse ou, à tout le moins, être perçue comme une précision ou une nuance utiles à notre réflexion. Un professionnel doit savoir créer un élan, un mouvement logique menant vers une solution. S'il enfile ses questions, il n'écoute pas assez attentivement nos réponses !

S'exprime-t-il avec un vocabulaire compréhensible ? Il devrait souvent utiliser des mots simples et directs, recourir à des exemples et même à des jeux de mots ou à des expressions imagées pour faire passer son message.

S'entretient-il avec nos collègues et nos subalternes ? Un professionnel devrait écouter attentivement les subalternes et les employés dans son champ de perception, car ces gens peuvent lui apporter des nuances et des points de vue utiles. Sa vision doit déborder le cadre exclusif de sa spécialité. Les employés directement concernés par un défi ou par un problème sont bien situés pour alimenter la réflexion. Un spécialiste qui ignore les « employés ordinaires » risque de produire des résultats... moins qu'ordinaires !

Accepte-t-il avec intérêt nos appréhensions ? Il devrait chercher à comprendre nos objections, poser des questions d'exploration et prendre le temps de noter nos réponses. S'il réfute ou esquive nos objections, il n'est pas un consultant mais un vendeur qui fait pression. S'il tente de nous réconforter, il est un psychologue amateur.

Nous laisse-t-il le temps de réfléchir ? Il doit aimer le silence et nous laisser le temps de réfléchir. S'il tente de tout régler un peu trop rapidement, nous sommes en droit de nous méfier ; il travaille pour lui-même et non pour nous. Nous apprécions peu le professionnel qui met un temps fou à formuler ses questions, mais qui nous laisse à peine quelques secondes pour y répondre !

Présente-t-il les avantages et les contraintes des solutions envisagées ? Il devrait, sans gêne et sans délai, présenter le pour et le contre de son avis et de ses opinions. Il devrait nous traiter comme une personne responsable qui aime réfléchir et non comme un adversaire à vaincre. Craint-il notre réflexion ?

Garde-t-il contact après avoir encaissé son chèque ? Il devrait assurer un suivi, en personne ou au téléphone, afin de vérifier si des ajustements s'imposent. Un consultant qui disparaît immédiatement après une intervention devrait s'éclipser... définitivement. Un petit suivi, informel ou non, pour connaître les répercussions de son passage chez nous, quelle bonne manière de souligner son désir de revenir !

Les psychologues, les entrepreneurs et les confesseurs partagent au moins une valeur importante : la croyance en la force naturelle du questionnement. Quand vous « affirmez » une idée, vous ne pouvez pas être certain que la personne visée l'a comprise... encore moins si elle l'accepte. Une personne qui « trouve par elle-même » une idée la comprend bien et elle est susceptible de l'adopter. Aidons donc nos clients à nous parler, à nous présenter leurs aspirations, leurs valeurs et leurs erreurs. Ce faisant, nous les aidons à nous percevoir non pas comme des enquêteurs, mais littéralement comme une réponse à leurs besoins.

PROposer un rendez-vous

Le plus lent à promettre est toujours le plus fidèle à tenir.

JEAN-JACQUES ROUSSEAU

C ertains vous diront qu'une partie de billard commence dès que le rendez-vous est fixé. Il en va de même pour votre présentation, qui commence dès que vous suggérez une rencontre au client potentiel. Vous devez marquer des points dès la toute première manche, celle qui consiste à obtenir un rendez-vous. Si vous « demandez » un rendez-vous, la balance du pouvoir commence déjà à vous échapper. Pourquoi ? Parce que vous demandez plutôt que d'offrir. Le client visé est susceptible de percevoir votre état de « manque », un peu comme un *pusher* observe un toxicomane. Comparaison brutale, dites-vous ? En effet, les affaires comportent toujours un certain rapport de force, un équilibre instable entre l'offre et la demande. On s'enrichit davantage en se situant du côté de l'offre et non de la demande.

5.1   Paraître occupé… et le prouver

Un dicton anglais affirme que « le succès attire le succès ». Acceptons franchement que les apparences sont importantes. Elles se révèlent parfois trompeuses, mais mieux vaut paraître occupé que le contraire.

Toute personne qui désire produire une impression de succès gagne à se promener avec un agenda bien choisi et bien rempli, parce que cet outil modeste a de l'effet sur la majorité des gens. Si vous en doutez, demandez-vous si vous feriez spontanément confiance à un notaire dont l'agenda est presque vide. Nous considérons souvent qu'une personne « très occupée » possède des compétences recherchées. Cette perception nous met en confiance.

Voici quelques trucs du métier qui peuvent vous aider à faire bonne figure lorsqu'un client vous regarde feuilleter votre agenda.

• Pour conférer une allure de solidité à votre gestion du temps, adoptez un agenda à couverture rigide.

• Choisissez un grand format (5 po sur 8 po), à moins que, en utilisant un très petit format, vous vouliez montrer que vous procédez par priorités.

• Pour donner une impression de sobriété, choisissez une reliure neutre et sobre.

• Privilégiez une marque connue pour afficher votre adhésion aux standards du milieu des affaires.

• Examinez la pertinence pour vous des modèles « un jour » ou « semaine entière ». Le modèle « un jour par page » convient si vous comptez un grand nombre d'interventions par jour. Le modèle « une semaine par page » convient si vous accomplissez des mandats plus longs. Ces petits détails sont des éléments d'évaluation qu'utilisent les gens d'affaires d'expérience.

Peut-être avez-vous déjà vécu la désagréable situation où un client potentiel suggère une rencontre, «... disons la semaine prochaine», et vous demande de vérifier sur place votre horaire. Vous avez malheureusement peu de rendez-vous établis cette semaine-là. Ouvrir votre agenda devant le client risque d'afficher votre état de chômage. Votre crédibilité risque d'être anéantie par le coup d'œil que votre interlocuteur jettera forcément sur votre horaire. Le manque de stratégie à cet égard peut miner votre crédibilité. Voici quelques trucs du métier :

- Inscrivez de manière variée et spécifique vos périodes de travail au bureau : admin., suivi, renc., ges., form., etc. Ces mentions sommaires évoquent clairement votre bonne gestion du temps et des priorités. Un nombre inquiétant d'entrepreneurs n'inscrivent que les rendez-vous et les périodes de travail à l'extérieur du bureau. En faisant cela, ils affichent par inadvertance leur « manque de travail ». Eh oui, c'est cela la perception !

- Occupez plusieurs plages horaires vacantes avec des indications codées (notamment par des noms d'entreprises fictives inscrites en abréviation). Cette méthode vous permet d'afficher ou de suggérer un taux d'occupation élevé, tout en vous accordant une marge de manœuvre (« pour revoir mon horaire ») lorsqu'un client désire vous rencontrer à un moment « déjà occupé ». Prenez soin d'inscrire de telles « périodes occupées » au moins trois semaines d'avance. Quand vous deviendrez vraiment occupé, vous pourrez laisser tomber ce moyen quelque peu « ratoureux » !

5.2   Une bonne raison de décaler un rendez-vous

Pourquoi attendre jusqu'au dernier moment pour savoir si la personne à qui vous offrez de faire une présentation (ou qui vous demande d'en faire une) est réellement intéressée à vos services ? Deux types de présentations relèvent de la catastrophe : celle du « faire-valoir », qui permet à votre concurrent de mieux paraître, et celle que l'on nomme « funéraire », laquelle est, d'avance, vouée à l'échec.

Il arrive qu'un collaborateur du client potentiel se serve littéralement de vous à des fins internes. Par exemple, votre présentation a peut-être pour but de tester les compétences d'un nouveau gestionnaire, de faire pencher la balance du côté d'un « ami » soumissionnaire, de tester l'état du marché, etc.

Pour mesurer l'intérêt réel de la personne avec qui vous confirmez une date et un lieu de rencontre, proposez un léger décalage de jour ou d'heure (en invoquant votre agenda déjà chargé selon les suggestions précédentes !). Par exemple, retardez ou devancez légèrement l'heure suggérée en invoquant calmement votre horaire : « 15 h, ça me semble un peu serré ; est-ce que 15 h 15 peut convenir ? » Vous pouvez également décaler le jour fixé, surtout si vous prétextez un engagement à l'extérieur de la région ce même jour.

Dans votre rapport de force devant un client potentiel, ces procédés simples et efficaces vous procurent la chance de compter deux points :

- Vous affichez une volonté de gérer et de respecter vos engagements, donc d'honorer vos échéances. C'est bien.

- Vous incitez la personne avec qui vous négociez à prendre position et à exprimer le degré d'importance qu'elle accorde à votre rendez-vous. Si votre interlocuteur insiste sur le moment du rendez-vous, vous savez qu'il a une contrainte de temps et qu'il veut vraiment vous voir. S'il accepte un léger déplacement, vous pouvez raisonnablement conclure qu'il tient à votre présentation ou que le temps n'est pas une composante clé de son analyse de projet. C'est encore mieux !

Un dernier détail : ne laissez jamais entendre que vous pouvez déplacer un rendez-vous déjà à l'horaire pour accommoder votre interlocuteur. En disant « Je déplace Untel pour vous accommoder », vous envoyez le message à votre interlocuteur que vous lui ferez un jour le même croc-en-jambe pour accommoder un client plus important. Vous lui avouez ainsi que, pour vous, la possibilité de faire de l'argent à court terme est plus importante qu'une relation responsable et durable.

Si vous êtes mal pris, gagnez du temps. Dites que vous devez consulter ceux qui sont concernés par un changement d'horaire. Si votre conflit d'horaire est bidon, vous n'avez qu'à prendre quelques minutes pour vous consulter vous-même ! Plusieurs appels « au bureau » sont dans les faits un monologue avec sa propre boîte vocale. À la fin de cet « entretien », vous pouvez annoncer qu'un aménagement a été fait à votre horaire, dans le respect des besoins de tous. Votre interlocuteur sera déjà favorablement impressionné par votre professionnalisme : vous êtes occupé, vous respectez vos engagements et vous savez négocier rapidement des solutions profitables. Vous arriverez au moment de votre présentation avec l'aura d'un champion !

5.3 Suggérer des invités

Vous aimeriez savoir, dès la demande de rendez-vous, devant qui au juste vous ferez votre présentation, mais vous n'osez pas vous montrer trop insistant ? Estimez-vous impoli de suggérer une liste de présence pour votre présentation imminente ? Vous faites preuve de professionnalisme en suggérant la liste des personnes « à inviter ». Le truc consiste à savoir comment s'y prendre. En fait, il faut suggérer poliment non pas le nom ou le titre des personnes à inviter, mais la fonction ciblée. Voici des exemples.

Évitez de dire...	Dites plutôt...
« Le vice-président du service de développement... » Il est peut-être chef de service ou chargé de projet ; votre mention mettra plusieurs personnes mal à l'aise.	« La personne en charge des projets importants de développement... »
« Le propriétaire... » Il s'agit peut-être d'un gérant ou d'une associée.	« Le chef de l'exploitation... »

« L'ingénieur supérieur... » Sa situation actuelle est peut-être délicate.	« Un gestionnaire supérieur en matière de... » Votre client pourra remplacer son ingénieur supérieur par une vice-présidente performante et ambitieuse.

Si vous ne soumettez pas cette liste, demandez poliment quelles personnes sont susceptibles de participer à la présentation. Dites que cette information vous permettra de peaufiner le vocabulaire et le contenu de votre présentation. La majorité de vos interlocuteurs comprendront l'intérêt qu'il y a à vous dévoiler les noms et fonctions des invités. De votre côté, vous serez en mesure de préparer un scénario et des propos exceptionnellement précis. Vous dormirez mieux jusqu'à votre présentation.

Finalement, suggérez discrètement que le nombre d'invités à votre présentation soit plutôt modeste. La raison officielle de votre demande est le besoin de prévoir le type et la quantité de documents à préparer. La raison stratégique est d'établir l'importance réelle de votre présentation. Le présentateur vétéran sait que plus il y a de participants à une présentation, plus celle-ci devient un spectacle bien inutile. Les applaudissements d'un grand groupe sont rarement aussi rentables que les sourires d'un petit groupe influent.

5.4 Faire du rendez-vous un engagement moral

Avant d'arrêter une date et un lieu de présentation, vous gagnez à vous assurer que le client potentiel a la volonté ferme de vous recevoir. Trop de présentations bien préparées sont mort-nées en raison du désistement de dernière minute du client qui semblait pourtant y tenir. Que s'est-il passé ?

Visiblement, vous avez oublié d'obtenir un engagement de la personne concernée. Vous avez mis de côté vos autres préoccupations pour vous consacrer à la préparation de votre présentation. Votre interlocuteur peut avoir de nouvelles contraintes, de nouveaux défis qui relégueront aux oubliettes l'entente informelle qu'il a prise avec vous. C'est la vie. Ce qui est capital pour vous peut être secondaire pour un autre. Il faut donc vous assurer que les deux parties perçoivent un même niveau d'intérêt et d'engagement moral par rapport à la date de la présentation. Vos options sont peu nombreuses.

- Vous pouvez proposer poliment que le jour et la date soient respectés, mais en faisant cela, vous semblerez mettre en doute la parole de l'autre. Cette option est donc à éviter.

- Vous répétez clairement et calmement la date et l'heure de la rencontre en la transcrivant dans votre agenda ou juste avant de mettre fin à l'entretien téléphonique. Cette tactique augmente un peu les chances de succès, juste un peu.

- Vous envoyez un message de confirmation le lendemain de l'entente verbale, soit un bref message dans la boîte vocale, une télécopie ou un courriel. Cette tactique augmente sensiblement vos chances de faire votre présentation au moment prévu.

- Vous utilisez la tactique de l'engagement moral, qui consiste à entamer sur le plan moral une démarche qui deviendra par la suite technique. Une entente technique mineure, comme l'heure du rendez-vous, peut être rompu sans ménagement. Cependant, un engagement moral est rarement modifié sans raison majeure.

L'exemple qui suit permet de saisir la force d'une entente morale.

Une entente technique peu engageante	Un engagement moral mutuel plus solide
Client : « D'accord pour mardi 14 h. » Vous : « Parfait, je note ça ! »	Client : « D'accord pour mardi 14 h. » Vous : « Parfait, je me *préparerai* particulièrement bien. Vous, *acceptez* d'accorder la priorité à cette rencontre ? » Client : « D'accord. »

Le lendemain, ce client est convoqué par un collègue de travail. Il vous rappelle : « Je déplace votre rendez-vous de deux jours… »

Ce client est convoqué par un collègue de travail et le moment de la rencontre entre en conflit avec votre présentation. Le client répondra à son collègue : « J'ai déjà un engagement avec un professionnel à cette heure ; je te verrai tout de suite après sa présentation. »

La morale de ce petit dialogue ?

La morale de ce petit dialogue ?

Lorsqu'une entente tient uniquement à des éléments techniques, on n'hésite pas à y apporter des changements, souvent sans gêne et sans préavis. L'honneur des gens n'est pas du tout mis à contribution.

Lorsqu'une entente contient en prime des éléments d'ordre moral, il se développe un sentiment d'engagement ; on hésitera à y apporter des changements. L'honneur des gens est en cause.

Relisez à voix haute le petit dialogue ci-dessus en mettant un accent tonique sur les mots soulignés (ce sont les éléments d'engagement).

Comme le sait le joueur de billard assidu, la partie commence non pas quand les billes se mettent à rouler, mais lorsque deux personnes acceptent de faire une partie et qu'elles établissent des règles de base à leur interaction. Votre présentation commence du bon pied si la personne visée se sent moralement engagée à vous rencontrer ; son niveau de responsabilité est un peu plus élevé, ses attentes aussi.

Vous pouvez maintenant passer à l'étape suivante, car vos arrières sont protégés.

PROMENER SON REGARD

Il y a une infinité de conduites qui paraissent ridicules,
et dont les raisons cachées sont très sages et très solides.

LA ROCHEFOUCAULD

Miseriez-vous sur un joueur de billard qui agit avant de jeter un regard sur la table et sur son adversaire ? Vous gagnez toujours à observer attentivement ces petits détails qui vous permettent de peaufiner votre présentation. Prenez note de certains éléments instructifs dans l'environnement immédiat du lieu de votre présentation, soit dans l'entrée, dans la salle d'attente, etc.

6.1 Arriver avant d'entrer

Si vous vous sentez nerveux à l'idée d'aller quelque part la première fois, allez-y seulement la deuxième fois : il suffit de s'y rendre une première fois dans les jours qui précèdent la présentation. De cette façon, vous saurez où stationner votre véhicule, à quoi ressemble la réceptionniste, où se trouve la salle d'attente et vous aurez peut-être un aperçu de la culture de l'entreprise en question.

Vous pouvez également aviser la personne à l'accueil que vous préparez une présentation et que vous désirez avoir une idée de ce qu'est l'entreprise. Votre « vraie » première entrée sera donc dans les faits votre deuxième visite ; vous paraîtrez plus calme et confiant, ce qui devrait bien impressionner votre client et intimider un concurrent assis à côté de vous dans la salle d'attente.

Voici quelques trucs et astuces du métier susceptibles de transformer votre première visite en une activité très productive.

6.1.1   Étudier l'environnement

L'environnement du lieu de votre rencontre commence non pas « au seuil de la porte du bonheur », mais quelque part le long de la route qui y mène. Ralentissez un peu et prenez note de quelques détails significatifs.

- L'apparence générale du quartier (traditionnelle, moderne, calme, désordonnée, zonage peu rigoureux, etc.) peut vous aider à situer l'entreprise du client. Est-elle en complémentarité ou en contradiction avec le secteur ?

- Le nombre et l'état des bâtiments avoisinants peuvent illustrer la vitalité et le potentiel du client par rapport aux autres entreprises.

Sans être une preuve définitive, l'apparence générale d'un bâtiment ou d'une maison laisse voir certaines valeurs de ceux qui l'habitent.

- La qualité d'affichage de l'entreprise (affiche, numéro d'immeuble, éclairage, etc.) peut dépeindre le panache ou la discrétion du client.

- L'aire de stationnement (facilité d'accès, présence d'espaces réservés pour les patrons ou pour les employés, espaces pour les visiteurs, etc.)

peut suggérer le type de rapport hiérarchique qu'entretiennent les gens sur place avec leurs collaborateurs.

• L'aménagement paysager (lignes droites ou courbes, plantes variées ou non, type de fleurs, divisions souples ou rigides, etc.) peut fournir des pistes sur les valeurs du client ou des éléments pertinents concernant la structure mentale des décideurs.

6.1.2   Observer le stationnement

Une habile joueuse de billard prend note des comportements de son adversaire, mais aussi de ceux avec qui elle est susceptible de jouer! Ces spectateurs sont-ils des amateurs intéressés, des joueurs compétents ou des professionnels?

Jetez un coup d'œil dans le stationnement pour avoir une idée des professionnels de l'externe qui sont actuellement sur place. Un fournisseur de longue date développe souvent un sentiment d'appartenance: il prend place de manière prédominante avec un véhicule aux couleurs de son entreprise. C'est une tactique pour s'approprier l'entreprise servie et pour intimider des concurrents potentiels. Si vous êtes habile, vous pouvez tirer plusieurs avantages de ce signe.

• Notez le nom des entreprises sur place. Sont-elles « enr. » ou « inc. » ? Cela peut vous indiquer leur taille ou du moins leur ambition.

• Lisez leur slogan. Il est presque toujours un indicateur des arguments de présentation de vos concurrents.

• Observez la présence d'ajouts comme « Nouvelle administration » ou « Ltée 1998 ». Ce sont des signes de changement significatif susceptible de représenter une position instable de cette entreprise aux yeux de la clientèle.

- Regardez si les véhicules sont propres, surtout s'ils appartiennent à des firmes pour lesquelles la précision et la propreté devraient être importantes.

- Notez l'âge de ces véhicules, surtout s'ils sont la propriété de firmes ayant un nom et un slogan très modernes. Un slogan moderne est moins crédible lorsqu'il est peint sur un camion rongé par la rouille.

- Notez l'usure des pneus de ces véhicules. Les pneus très usés d'un camion suggèrent que l'entreprise traverse une période difficile ou qu'elle néglige le respect des règles de sécurité.

- Évaluez l'ordre des outils ou des objets dans les véhicules ou autour de ceux-ci. Un consultant en productivité dont les instruments de travail sont minutieusement rangés à l'intérieur de son auto sera un concurrent redoutable.

6.2   Entrer en étant à l'affût

La distance qui sépare la porte d'entrée de la salle d'attente, c'est l'équivalent de la distance entre la queue de billard et la bille blanche que vous devez frapper avec soin. Des nuances dans la décoration ou dans l'aménagement laissent entrevoir les valeurs qui sont importantes pour l'entreprise.

- Le type et la taille de la porte d'entrée (modeste ou grande, légère ou lourde, en bois ou dans un autre matériau, unique ou double, etc.) évoquent l'image de soi qu'ont les gestionnaires.

- L'aménagement du bureau de la réceptionniste (encombré, ordonné, divisé en sections, petit ou étendu, moderne ou classique, etc.) révèle le type d'organisation du travail des gestionnaires de cette entreprise.

- La dimension et la disposition de la salle d'attente (petite ou grande, sièges dépareillés ou similaires, qualité et confort des sièges, etc.) décrivent l'importance accordée aux nouveaux venus, aux sous-traitants et aux autres collaborateurs.

- Les parures sur les murs de la salle d'attente (tableaux originaux ou reproductions, tableaux modernes ou traditionnels, imagerie principale des tableaux, qualité de l'encadrement et de la disposition, etc.) démontrent le type de culture personnelle ou sociale des gestionnaires.

Ayant appris à maîtriser vos émotions grâce à votre personnage professionnel, vous comptez parmi les gens futés qui savent observer et décoder les mœurs et les manières de ceux à qui vous vous adresserez bientôt.

- Le type et la quantité de la documentation mise à la disposition des invités qui attendent (qualité, variété et pertinence, disposition ordonnée ou non, etc.) offrent des indices sur la rigueur de l'information émanant de l'entreprise, sur l'importance accordée à la diffusion de l'information, etc.

- Le type et la fréquence des communications entre les employés et la réceptionniste (type d'interruption, manière d'interrompre, de demander ou d'ordonner des services, type et ampleur du langage non verbal entre elle et ses collègues, etc.) dressent un portrait du genre d'interaction entre les niveaux hiérarchiques dans l'entreprise, du style de leadership, du degré de respect entre les collaborateurs, etc.

- La méthode de surveillance des invités (observation directe ou par caméra) laisse entrevoir l'habitude d'accueil, le niveau d'intérêt ou de méfiance envers les étrangers.

Voilà ce que vous pouvez capter, en quelques secondes, au moment de votre passage dans une salle d'attente. Le solliciteur d'expérience sait capter et filtrer rapidement ces données en fonction de critères liés à sa présentation. Par exemple, un ingénieur voulant offrir ses services d'analyse de stabilité à une patronne nouvellement nommée sera très attentif aux éléments « structurels et organisationnels » de la salle d'attente ainsi qu'aux comportements devant le « nouveau venu ». Il pourra ainsi établir un meilleur rapport avec la patronne. Quant à la consultante en protection des données informatiques, elle sera très attentive à tout ce qui peut avoir un lien avec la transmission des données, comme un petit muret de protection visuelle installé sur le bureau de la réceptionniste.

PROduire un effet

Je n'ai qu'un besoin : celui de réussir.

NAPOLÉON 1ER

U n bon joueur de billard assume une présence physique et
« mentale » avant de commencer une partie. Son attitude, sa
démarche et sa manière d'entrer en scène sont calculées. Il doit
communiquer son attitude, sinon il risque d'établir une relation « réac-
tive » avec l'autre joueur.

Après avoir lu le chapitre « Promener votre regard », vous avez pris
le temps d'approfondir quelque peu votre connaissance de l'entreprise
visée. Vous êtes en mesure d'amener les personnes visées à vous
percevoir sous l'angle que *vous* désirez. Parmi les suggestions suivantes, vous trouverez des tactiques adaptées à votre personnalité. À
vous de les adapter et de les améliorer en fonction de votre ambition.

7.1   Commencer par arriver

Entrer sagement dans le stationnement. Vous devez éviter tout risque de paraître nerveux ou téméraire aux yeux d'un employé sur le terrain ou d'un autre qui s'adonne à regarder dehors. Une agronome disait ceci : « La présentation est bien mal partie quand on arrive en faisant un nuage de vent et de poussière qui aurait fait peur aux vaches. » Certains collègues qui carburent à la testostérone ne font pas meilleure première impression.

Arriver un peu avant l'heure convenue. Prévoyez arriver de cinq à huit minutes avant votre présentation et laissez votre véhicule assez loin de la porte d'entrée. Vous en tirez deux avantages immédiats : vous vous accordez une grande marge de manœuvre, ce qui vous permet de rester calme, et vous avez l'occasion de marcher un peu. Il se peut même qu'un employé perçoive que vous n'êtes pas du genre à vouloir « prendre tout de suite la meilleure place ».

Prendre le temps d'observer tout élément inhabituel. Jetez un coup d'œil autour du bâtiment afin de percevoir si la situation actuelle peut entraîner une adaptation mineure ou majeure de votre présentation. C'est le cas si un paysagiste perçoit de profondes traces de pneus dans le gazon ou si une spécialiste en gestion des risques aperçoit des lignes superposées délimitant l'aire de stationnement. En arrivant juste à temps, vous êtes trop pressé pour apercevoir ce type d'élément dans l'environnement. Que pensez-vous d'un publiciste qui entre dans la salle du conseil d'administration d'un important client potentiel avec une photo Polaroïd qu'il vient de tirer du logo mal éclairé de l'entreprise ? Il a en poche une carte gagnante !

Éviter de prendre un raccourci entre l'auto et la porte d'entrée. Songez qu'un employé peut vous voir « transgresser » le règlement de l'entreprise avant même d'y avoir mis les pieds ! Si vous êtes paysagiste, consultante en productivité ou arpenteur, vous pouvez contrevenir à cette règle, mais prenez soin de mentionner, dès votre entrée, que vous avez volontairement traversé un terre-plein pour constater l'état de la situation.

Aller vers le bâtiment en lorgnant les fenêtres qui donnent sur votre chemin. Vous pouvez peut-être ainsi croiser le regard d'employés, peut-être même celui de la personne que vous allez rencontrer ! Votre regard souriant et votre démarche confiante peuvent créer un penchant favorable que vous pourrez exploiter au moment de votre présentation.

7.2 Entrer dans la salle d'attente comme chez soi

C'est assez facile de faire comme si vous étiez chez vous quand vous avez pris le soin de faire une visite préparatoire. Sachez que l'entreprise a pu donner à ses réceptionnistes une formation en observation du comportement. Ces personnes peuvent donc prendre note de votre comportement, de vos attitudes et de vos propos. Par conséquent, considérez votre entrée dans l'entreprise et dans la salle d'attente comme l'entrée en matière de votre présentation.

- Entrez d'un pas souple et confiant, en vous dirigeant immédiatement vers la personne à l'accueil.

- Dites bonjour en premier.

- Déclinez votre nom et celui de l'entreprise que vous représentez. Si vous mentionnez votre titre, vous risquez de créer une distance entre vous et l'employé de première ligne à qui vous vous adressez ; mieux vaut établir un rapport plus égalitaire avec cet allié potentiel !

- Annoncez la raison générale de votre présence en privilégiant une formule qui fait ressortir vos valeurs personnelles. Par exemple : « J'avais promis de rencontrer M. Bélisle à 15 h, et me voici ! » ou « Vous pouvez aviser Mme Campagna que je suis au rendez-vous comme convenu et que je suis prêt pour la rencontre. »

Pour la plupart des gens, la salle d'attente d'un client est un lieu pénible. Doit-on paraître sérieux et sévère ? calme et concentré ? sociable et aimable ? À vrai dire, votre comportement peut dépendre de deux grands facteurs, soit l'environnement et la psychologie.

L'environnement. Si la salle d'attente de l'entreprise est sobre et classique, vous gagnez à vous adapter à cet environnement ; si elle est moderne, votre attitude gagne à s'y ajuster ! Par contre, en vous fondant dans le décor, vous risquez de passer inaperçu.

La psychologie. Si la valeur centrale de votre présentation est la rigueur, vous avez avantage à être d'une politesse assez formelle et à vous asseoir en silence. Par contre, si vous axez votre présentation sur le travail d'équipe, vous gagnez à vous entretenir avec les gens sur place et à observer attentivement la décoration. Ce comportement est plus risqué (une maladresse peut créer un impact négatif), mais il peut créer des conditions très favorables si votre valeur ainsi affichée est partagée par les membres de l'entreprise.

7.2.1   Choisir le bon siège pour attendre

Prenez un siège qui vous donne une vue d'ensemble. Vous devez être en mesure de percevoir les gestes des gens qui s'activent dans l'entreprise : les employés qui viennent parler à la réceptionniste, ceux qui passent, etc. Choisissez un siège qui vous permet de percevoir ces mouvements sans que vous ayez besoin de tourner la tête. Des mouvements de tête fréquents peuvent être interprétés par la réceptionniste comme des signes de nervosité. Voulez-vous que qu'elle glisse à l'oreille de son patron, juste avant de vous présenter, « Cette personne semble nerveuse... » ? Cependant, évitez de vous asseoir directement devant la réceptionniste, car cette position peut vous faire passer pour un observateur envahissant. Aucune réceptionniste n'aime être « épiée » par un intrus.

7.2.2   Consulter la documentation d'entreprise du client

Fréquemment, l'entreprise met bien à la vue sa documentation dans sa salle d'attente. Il se peut que les gestionnaires demandent à leur réceptionniste de vérifier le comportement des fournisseurs potentiels. Faites donc des gestes éloquents.

• Prenez connaissance des brochures et des dépliants et faites-y des annotations au crayon. Ainsi, vous en apprenez davantage sur l'entreprise et vous signifiez que vous lui accordez un vif intérêt.

• Rangez soigneusement cette documentation dans votre serviette. Grâce à vos gestes mesurés et confiants, vous démontrez que vous êtes calme dans un endroit souvent traumatisant pour les « nouveaux ».

• Rétablissez l'ordre des documents dans le présentoir, de manière simple et brève. Vous affichez par le fait même votre sens de l'organisation et votre désir de vous rendre utile. Vous montrez aussi que vous êtes capable de remplir des tâches nobles ou modestes avec le même intérêt. La réceptionniste verra non pas un « inconnu de passage » mais un « collaborateur naturel ». Parions qu'elle vous présentera à ses collègues ou à son supérieur avec plus d'enthousiasme !

• Demeurez calme de manière à faire voir votre concentration. Adoptez une position souple, par exemple une jambe croisée, une main sur votre serviette et l'autre sur le bras de la chaise.

• Affichez un regard à la fois « concentré et confiant ». Il s'agit là d'un défi quasi impossible à relever pour le débutant et pour l'arrogant. Un vieux truc du métier : concentrez-vous non pas sur votre présentation mais sur les suites d'une présentation réussie (étapes de réalisation, horaire de travail, planification des ressources, etc.). En visualisant avec énergie et précision ces éléments, vous faites d'une pierre deux coups : vous transformez votre nervosité en confiance et vous montrez de belles expressions faciales.

7.2.3   Discuter avec ses voisins ? Oui, mais comment ?

C'est rarement agréable de jouer au billard avec une partenaire qui n'ouvre pas la bouche pendant la partie ! On joue habituellement en interaction avec les autres. Le présentateur habile sait interagir avec les autres dans une salle d'attente, de manière à « faire sa place » dans l'entreprise.

Vous pouvez créer une interaction légère mais significative avec ceux qui patientent comme vous. Savoir le nom et la provenance (peut-être même le but général) de ces personnes peut se révéler un atout, surtout si vous estimez probable la présence de concurrents. Comment savoir si ces gens sont des concurrents ?

- Ils ont peut-être laissé un véhicule affichant le nom de leur entreprise dans le stationnement.

- Ils arborent peut-être des « signes du métier ». Pensez aux doigts éraflés du menuisier, aux souliers de travail de l'entrepreneur en construction, à l'anneau de l'ingénieur, etc.

- Ils ont souvent tendance à vous examiner aussi.

- Ils détournent rapidement la tête s'ils vous reconnaissent comme un concurrent.

- Ils mettent un peu trop rapidement leurs mains sur leur serviette ou referment précipitamment leur agenda.

Sachez que toute discussion, même anodine et superficielle, peut servir à votre présentation imminente. Non seulement ces petits mots échangés vous permettront de penser à autre chose qu'à la panique qui vous assaille, mais ils peuvent aussi vous servir à démontrer votre confiance et votre ambition.

- Ouvrez la discussion avec une affirmation ou une question : « Une salle d'attente occupée est un bon signe » ou « Vous êtes un habitué de la place ? »

- Commencez vos réponses aux questions ou vos réactions aux propos des autres en répétant quelques mots clés de leurs phrases. Si une ingénieure vous dit « Ça fait trois ans que j'ai des contrats pour cette entreprise », vous répondez : « Depuis trois ans, vous avez acquis une expertise ? » Si votre réplique est spontanée et sincère, votre voisine précisera : « En effet, ma firme a acquis une expertise en programmation d'automates en milieu très chaud et humide. » Vous venez de découvrir que cette personne est une concurrente et vous pouvez adapter votre présentation !

- Répondez en termes polis et généraux à toute demande provenant des autres, car ces gens appliquent probablement les mêmes tactiques que vous ! Si, en regardant votre grand portfolio, un voisin de chaise vous demande : « Avec des plans comme ceux-là, vous devez être un ingénieur chevronné ? », vous pouvez répondre : « Certains plans sont sur papier, d'autres sur disquette, mais ceux qu'on a dans la tête sont les meilleurs ! » Cette réponse alimente une discussion anodine.

7.3   Quitter la salle d'attente en souriant

Votre manière de vous diriger vers la salle de présentation en dit long sur votre degré d'aisance et de compétence. Retenez ces quelques conseils.

- Attendez que la réceptionniste ou un autre employé vous fasse un signe évident ou vienne vers vous avant de faire le moindre mouvement.

- Souriez à cette personne, surtout si elle est accompagnée d'un collègue ou d'un supérieur, lorsqu'elle aura fait au moins la moitié du trajet.

- Déposez calmement, ou prenez en mains, votre documentation avant de vous lever (échapper ses documents en se levant est un signe de nervosité).

- Avant de parler, souriez à la personne qui s'avance. Ce petit détail prouve que vous reconnaissez la fonction de la personne qui s'approche en premier. Tenter de la « contourner » en vous adressant à la personne « importante » sera presque toujours considéré comme un sérieux manque de tact.

- Tendez la main dès que la personne se nomme ou qu'elle vous présente son collègue. Faites un signe de tête à l'intermédiaire en guise de remerciement.

Si la réceptionniste s'avance en compagnie d'un collègue, adressez-vous en premier lieu à la plus « modeste » des deux, par signe de respect ; laissez à cette personne l'initiative de vous présenter à son collègue. Ce petit détail prend une seconde, mais ce merci est susceptible de créer un lien personnel et professionnel permanent avec la réceptionniste ou le préposé à l'accueil. Un allié permanent dans une entreprise, ça vaut son pesant d'or.

- Enfin, suivez votre guide. Vous pouvez, si cela est offert, l'accompagner en parallèle. Évitez toutefois de la devancer, car ce serait très impoli sur le plan personnel et très malhabile sur le plan tactique (on verra pourquoi dans les chapitres suivants).

PROfiler les participants

Les hommes et les affaires ont leur point de perspective.
Il y en a qu'on doit voir de près pour en bien juger,
et d'autres qu'on ne juge jamais si bien que quand on en est éloigné.

LA ROCHEFOUCAULD

Un bon joueur garde un œil sur la table et l'autre sur ses adversaires. Les expressions et les gestes de ces derniers peuvent traduire leur plaisir ou leur appréhension. Il en va de même pour votre présentation. Délaissons un peu sa forme et son contenu pour examiner la composition, la disposition et l'interaction de l'ensemble des gens qui se trouvent devant vous.

Pour clarifier les choses, inventons un dicton : « Dis-moi avec qui tu discutes et je te dirai de quoi tu parles. » Trop occupés, nous oublions souvent ce facteur clé. Pourtant, un joueur de billard novice porte une grande attention à la composition du groupe avec qui il joue : il tente rapidement de déterminer s'il s'agit de jeunes loups, d'expertes attentives, d'amateurs bavards, d'amis de longue date, de joueurs compulsifs.

Seul un imbécile mise tout contre des gens dont il ignore le profil et les mœurs. Puisque vous n'êtes pas un imbécile, vous acceptez évidemment de noter comment un habitué s'y prend pour se faire une idée rapidement des gens à qui il soumettra une offre.

8.1   Cinq types de groupes

La composition d'un groupe reflète presque toujours la procédure et le style décisionnels du client visé. N'oubliez jamais, même quand votre présentation se déroule bien, que vous faites face à des personnes qui, collectivement, ont plus d'yeux, d'oreilles, de griffes et de neurones que vous. Voici donc un survol des types de groupes et de leur objectif probable.

Type de groupe	Objectif probable de ce groupe
Le groupe de type TOURISTE est habituellement composé d'agents de bureau, de subalternes débutants ou d'employés sans autorité particulière, encadrés par un superviseur de premier niveau.	La direction a probablement constitué ce groupe dans le but de l'initier au déroulement d'une présentation. Bref, on fait de vous le singe en cage exhibé pour l'éducation des nouveaux employés sans influence.
Le groupe de type RÉCEPTIF est habituellement composé d'adjoints ou de superviseurs de premier niveau n'ayant qu'un peu d'autorité.	Les membres de ce groupe ont comme première mission de recevoir votre offre et de vérifier, sur le plan technique, sa conformité avec leurs critères de base. Ce groupe examine attentivement votre documentation et vous pose beaucoup de questions tatillonnes. Ces gens veulent tout vérifier.
Le groupe de type ANALYSE INITIALE est presque toujours composé de spécialistes sectoriels et de techniciens, dont l'expertise est poussée, mais dont l'influence est souvent limitée à leur domaine. Cependant, ces gens sont en mesure de fournir des avis et des commentaires à leurs supérieurs.	Ces gens prendront plaisir à vous mettre au défi, à relever la moindre irrégularité de votre offre. Ils veulent savoir si vous êtes « un des leurs » et si vous travaillez aussi bien qu'eux. Vous pouvez détester leur tendance à surévaluer les détails techniques, mais il vous est impossible de les ignorer. Ces gens peuvent devenir d'importants alliés ou de féroces adversaires ; ils peuvent, de manière anonyme, saboter votre offre.

Type de groupe	Objectif probable de ce groupe
Le groupe de type PRÉSÉLECTION est fréquemment composé d'experts et de superviseurs de deuxième niveau dont la vision déborde le cadre de leur domaine. Ces gens peuvent proposer des ajustements et négocier des éléments généraux de votre offre, surtout ceux ayant trait à des procédures et à des normes de qualité.	Les membres de ce groupe sont en mesure de bien situer votre offre et vos services. Ils peuvent établir des liens entre vos compétences et les ambitions de leur entreprise. Ce sont souvent eux qui choisissent les finalistes lorsque plusieurs entreprises concurrentes offrent leurs services. Ils sont en quelque sorte des « arbitres » dont les penchants se révèlent très difficiles à renverser.
Le groupe de type DÉCISIONNEL est toujours composé de cadres et de gestionnaires de haut niveau, parfois accompagnés de superviseurs de deuxième niveau, lesquels leur fourniront des avis techniques. Ces gens peuvent accepter, modifier et négocier des éléments majeurs de votre offre.	Ce groupe compte au plus trois personnes, qui semblent à la fois aimables et très sévères. Si vous les rencontrez en deuxième tour de piste, ces gens ont déjà un avis que leur ont fourni leurs cadres ou techniciens. Ils sont en mesure de situer votre offre en fonction des objectifs stratégiques de leur entreprise et de leurs ambitions de développement. Ils se montrent parfois polis au point où un présentateur sans expérience les perçoit comme des « amis ». Erreur fatale ! Leur politesse vient du fait qu'ils soignent l'image de leur entreprise et vous ménagent un « enterrement de première classe » (voir chapitre 13). Ils sont en fait les juges de votre cour suprême.

8.2 Déceler le type de groupe qui vous fait face

Un habile entrepreneur peut déterminer assez rapidement le type de groupe devant lequel il travaille. Les astuces et les trucs suivants peuvent vous être utiles, à condition que, fort de votre personnage professionnel, vous sachiez les utiliser avec calme et confiance.

8.2.1 Avant la présentation

• Demandez, dès le premier contact, le type et le profil du groupe à qui vous vous adresserez. La majorité des entreprises vous le diront.

• Lisez la documentation de l'entreprise pour y déceler des indices sur sa méthode de présentation (terminologie technocrate, accent sur le produit ou sur les procédures, accent sur les statistiques ou sur le public cible, etc.). Les textes étant toujours analysés et autorisés par la direction, vous gagnez à les lire attentivement.

• Recourez à votre réseau de contacts dans le milieu. Certaines personnes peuvent peut-être vous informer sur le type et le style d'évaluation qu'ont les gestionnaires de l'entreprise ciblée.

• Notez le titre de la fonction et le diplôme de la personne qui vous invite à faire une présentation. Par exemple, une ingénieure supérieure travaille fort probablement avec des confrères !

8.2.2 Au début de la présentation

• Présentez-vous en déclinant vos nom et titre ou fonction, puis demandez simplement aux gens de se présenter. Vous obtenez ainsi un profil assez précis du groupe.

• Considérez une hésitation ou un refus d'un participant à préciser sa fonction ou son titre comme une indication très utile.

• Présentez la documentation en deux versions : un ou deux exemplaires en couleurs et des photocopies en noir et blanc. Notez qui se retrouve avec les originaux ; vous avez ainsi une idée assez claire du chef de groupe.

• Commencez la présentation avec quelques mots très techniques pour voir combien de personnes semblent les saisir immédiatement. Leur regard sera plus intense, leur tête sera portée vers l'avant.

8.2.3   En cours de présentation

• Notez attentivement qui réagit de manière affirmative non pas à vos propos, mais à ceux provenant des leaders du groupe. La rapidité, la fréquence et la force de ces appuis visuels ou non verbaux indiquent la progression de votre présentation.

• Interpellez occasionnellement la « mauvaise personne » pour noter à qui elle lance un très rapide coup d'œil avant de répondre. Par exemple, un consultant en qualité de service à la clientèle peut poser une question technique à celle qui semble être la comptable du groupe ; celle-ci jette alors un regard à sa collègue qui s'y connaît probablement le plus en service à la clientèle. Vous savez maintenant de qui viendront plus tard les questions techniques.

• Hésitez parfois avant de donner une réponse afin de percevoir vers qui se dirigent les regards lors de ces brefs silences.

8.3   Gérer la composition du groupe

Pourquoi jouer avec des inconnus quand on peut suggérer ou négocier la composition d'un groupe ? Rien ne vous l'interdit. Seuls votre gêne ou votre manque d'ambition vous incitent à « espérer » que le groupe saisira bien votre présentation. Voici quatre grandes options qui peuvent vous aider à bien préparer le terrain. Un principe de base s'impose : la composition du groupe devrait être établie en fonction de l'objectif de votre offre et du processus décisionnel de l'entreprise visée (revoir au besoin le chapitre « Produire trois objectifs »).

8.3.1   Proposer la composition du groupe

Puisque vous connaissez mieux que quiconque l'objectif de votre offre, vous gagnez à proposer clairement la composition du groupe à qui vous faites votre présentation. Prenez les devants de manière claire et confiante.

Par exemple, une spécialiste en gestion des matières dangereuses a pour objectif stratégique de faire inscrire son entreprise dans la liste des sous-traitants d'une grande entreprise industrielle de pointe. Elle aborde donc son interlocuteur en disant ceci : « Monsieur Bélisle, je désire à ce stade établir ma crédibilité auprès de vos gestionnaires de procédures. Je propose donc que le comité d'évaluation de mon offre soit composé de techniciens supérieurs et de gestionnaires qui connaissent bien la chaîne de production. » Sa présentation part gagnante avant même d'être entamée.

De son côté, un spécialiste en marketing industriel international a pour objectif stratégique de collaborer à un projet pilote d'évaluation. Il propose donc ceci à un fabricant de moules : « Monsieur Ward, je vous propose de faire participer à ma présentation un technicien en moules, un représentant de l'équipe de recherche et développement ainsi qu'un publiciste. De cette manière, votre entreprise pourra situer rapidement mon potentiel de collaboration à vos projets dans le nord-est des États-Unis. » Parions que cet homme établira avec les membres de ce groupe un rapport de respect mutuel dont il saura tirer le maximum !

8.3.2   Influencer la composition du groupe

Si vous êtes en période de lancement ou de croissance, vous devez souvent offrir vos services à des entreprises où votre réseau de contacts est encore limité. Dans ce cas, votre désir de dicter la composition du groupe sera considéré comme arrogant ou naïf. Mieux vaut simplement jouer d'une influence subtile.

Par exemple, une ingénieure spécialisée en analyse de sols instables veut décrocher un contrat pour un projet dont la réalisation est imminente. Elle suggère ceci à un ingénieur permanent de l'entreprise visée : « Puisque je suis l'associée principale de ma firme et que je peux prendre sur place des décisions majeures, est-il opportun qu'au moins un gestionnaire important de votre entreprise assiste à ma présentation ? Ainsi, on pourra peut-être gagner de la précision et du temps. » En cours de route, elle examinera très attentivement les réactions des membres du groupe qui alimentent la réflexion du gestionnaire important!

Prenons maintenant un créateur de sites Web qui a pour objectif stratégique de décrocher un contrat « de positionnement » d'une entreprise très en vue dans le secteur du bois ouvré. Dans sa conversation téléphonique initiale, il glisse : « Madame Campagna, je vous offre des services de pointe dans un esprit de développement où le positionnement est plus important que les retombées financières immédiates. Vos collègues du service de production ou du service de distribution seront donc plus utiles que vos comptables. » Parions que la présidente de cette entreprise percevra la nature collaboratrice de l'offre et voudra y accorder une attention particulière.

8.3.3   Négocier la composition du groupe

Si votre offre de service comporte plusieurs volets, vous pouvez inviter votre client potentiel à mieux gérer son temps. Vous devez ici avoir une excellente idée du processus décisionnel de l'entreprise et de sa technologie de production.

Mettons en scène le représentant d'une firme d'entretien sanitaire de très haut calibre. Comme son objectif est de stabiliser sa part de marché dans le secteur des technologies de pointe, il propose ceci à la directrice d'une usine de fabrication de circuits intégrés : « Madame Charron, mon offre porte sur des services qui correspondent à des normes de qualité internationale ; mon chimiste en chef peut m'accompagner si, de votre côté, vous convoquez votre directeur de production. » Si ce spécialiste est là pour examiner les détails techniques, les gestionnaires pourront se concentrer sur les éléments connexes de l'offre.

De son côté, un concepteur de programmes de formation sur mesure a comme objectif stratégique de décrocher un premier contrat dans un réseau d'usines. Il négocie donc ainsi avec son interlocuteur : « Monsieur Lafontaine, je sais que vous appréciez la formation qui colle directement aux défis de vos employés, et c'est pour cela que je propose deux rencontres : une première à laquelle participeraient certains de vos chefs d'équipe et une seconde exclusivement avec des responsables du développement des ressources humaines. De cette façon, mon associé et moi pourrons établir un meilleur rythme de présentation et votre entreprise établit un contact direct entre les participants éventuels et nous-mêmes. » Parions que M. Lafontaine apprécie l'offre qui s'intègre parfaitement à sa propre structure décisionnelle. L'entrepreneur s'assure de son côté de mettre à profit l'accueil des chefs d'équipe.

8.3.4   Refuser la composition du groupe

Pour la même raison qu'on évite de jouer au billard contre un partenaire aussi talentueux que ratoureux, vous devez éviter de faire une présentation à des gens qui sont susceptibles de l'utiliser contre vous. Dans certains cas, votre décision de vous soustraire au processus peut consolider votre réputation et vous donner à moyen terme une force de persuasion accrue. On percevra peut-être que vous savez où vous allez et que vous avez choisi votre voie pour y arriver.

Par exemple, un entrepreneur en construction peut décliner de soumettre une offre à une corporation municipale au sein de laquelle siègent deux conseillers municipaux ayant des liens familiaux avec un soumissionnaire concurrent solidement implanté. Sans conclure à de la magouille politique, il est bon d'estimer ses chances réelles de succès.

De son côté, une intervenante en premiers soins en milieu industriel peut décliner de présenter une offre si, après deux rencontres de travail, le client refuse sans raison valable d'intégrer un gestionnaire au comité de sélection. Ce comité est sans doute de type « touristique » et l'entrepreneure y perdra son temps et sa bonne humeur.

Pour refuser la composition d'un groupe, vous devez bien choisir vos mots et soigner votre langage non verbal. Vous devez à tout prix faire connaître votre décision de manière claire, à titre d'information et non d'élément de négociation. Veillez aussi à ménager l'amour-propre et l'orgueil de la personne visée ! Comparez les formulations suivantes.

Tournure malhabile	Tournure diplomate et ferme
« Madame Smith, je constate que vous voulez recourir à un comité de réception alors que je dois m'adresser à des décideurs ! »	« Madame Smith, je respecte votre choix de procéder à une analyse strictement technique de mon offre de service en sécurité informatique. Cependant, pour moi, le facteur humain est tout aussi important que les procédures techniques. Je me vois donc dans l'obligation de laisser la place à une autre firme qui pense pouvoir implanter un système strictement technique. »

Il se peut que votre retrait soit bien reçu et que le client revoie sa position initiale. On peut donc réussir en acceptant l'échec imminent, comme tout bon vendeur le sait parfaitement ! Évitez de penser que vous êtes un manipulateur en utilisant cette approche : vous ne faites que responsabiliser le client.

8.4   Décoder la disposition des participants

La disposition des sièges compte parmi les éléments les plus évocateurs (et les plus difficiles à camoufler) de l'état d'esprit d'un groupe d'analyse. Pourtant, nous négligeons fréquemment cet aspect de notre relation avec notre client potentiel. La disposition des sièges révèle au moins trois choses : la hiérarchie des gens de l'entreprise, leurs relations entre eux et leur perception de votre place parmi eux. Vous gagnez à jeter un coup d'œil attentif à la table, à la salle et surtout aux sièges ! Examinons les dispositions possibles et tirons-en quelques leçons.

8.4.1 Le peloton d'exécution

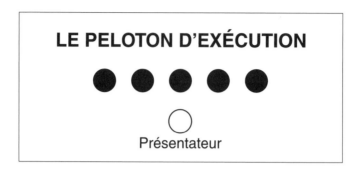

Tous sont assis du même côté de la table, directement en face de vous. Assez courante, cette disposition est à l'image d'un peloton d'exécution...

Les dangers	Les avantages
Cette disposition témoigne presque toujours d'une hiérarchie très bien établie dans l'entreprise. Vous êtes plus près des gens au milieu du peloton et pouvez plus difficilement créer un rapport avec ceux aux extrémités.	Bien souvent, la personne au milieu du peloton est le chef du groupe ; vous savez d'emblée qui a le dernier mot ! Vous pouvez percevoir en tout temps tous les membres du groupe, alors que ceux-ci peuvent difficilement percevoir les réactions immédiates de leurs collègues.
Elle suggère une procédure et une grille d'analyse fermement établies, peu flexibles par rapport à votre style de présentation.	Vous gagnez à présenter un scénario très linéaire et formellement structuré.
Elle rend probable une relation de confrontation, si bien que vous devrez survivre à des attaques directes mais franches.	En suscitant vous-même quelques salves auxquelles vous savez bien répondre, vous pouvez assumer immédiatement votre rôle de persécuté devant ce peloton. Ainsi, les fusiliers ont l'impression que vous survivez à leurs attaques !

8.4.2 Le demi-cercle

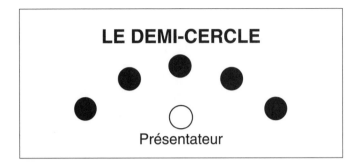

Ce type de disposition des sièges suggère une approche de concertation et de discussion qui permet à tout le monde de participer à votre présentation. L'entreprise performante et innovatrice utilise fréquemment cette disposition.

Les dangers	Les avantages
La tentation est grande d'interagir avec les personnes les plus proches de vous ou avec la personne directement devant vous.	Avec votre regard et des gestes souples, vous pouvez établir un rapport égalitaire avec chaque membre du groupe.
Chaque personne peut apercevoir les réactions et les expressions des autres. La moindre erreur de votre part est donc amplifiée par la réaction visible de tous…	Vous pouvez attirer l'attention du groupe sur les réactions favorables. Il vous suffit de porter votre regard (et votre sourire) vers celui ou celle qui apprécie votre propos. Vous pouvez aussi donner la parole à des personnes qui semblent vous offrir leur appui, allant jusqu'à leur demander de répliquer aux propos de leurs collègues. Vous aidez ainsi le groupe à s'approprier le contenu de votre offre et vous renforcez l'influence de certains participants qui deviendront rapidement vos alliés dans l'entreprise.

Chaque participant peut alimenter la perception du chef de groupe, habituellement assis au milieu.

Vous pouvez exploiter à votre avantage cette communication circulaire constante en invitant les participants à interagir. Ici, vous exploitez au maximum vos compétences en animation. En facilitant la communication entre les participants, vous découvrez rapidement qui influence qui. Par la suite, vous pouvez faire participer davantage ces personnes influentes. Ce principe de vente, perfectionné par M. Tupper (oui, oui, celui de Tupperware), a depuis longtemps fait ses preuves.

8.4.3 La salle de spectacle

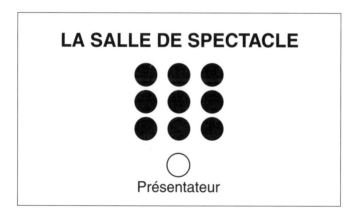

Assez rarement utilisée, cette disposition laisse supposer la présence d'un groupe de type « touriste ». Vous ferez probablement une présentation « démo » pour le bien des employés qui participeront éventuellement à des comités de sélection.

Les dangers	Les avantages
Vous avez devant vous un grand nombre de personnes disposées comme des passagers dans un autobus touristique ; vous êtes en quelque sorte leur guide. Votre attention est probablement centrée sur les gens dans les première et deuxième rangées.	Vous aurez l'air à l'aise si vous portez votre regard de manière souple et constante sur l'ensemble des personnes en vous attardant quelques secondes sur chaque participant, dans un mouvement fluide.
La tentation est forte de donner un spectacle (si vous faites une présentation high-tech) ou de vous adonner à un monologue interminable. Dans les deux cas, vous risquez de rompre l'interaction essentielle à la réussite de votre présentation.	Vous pouvez utiliser à votre avantage la force du groupe en ajoutant quelques mots d'esprit (de bon goût !) à votre présentation. Les rires ainsi générés augmentent le sentiment d'appartenance du groupe. Vous pouvez aussi vous adresser, à quelques reprises, à des gens plus éloignés dans la salle. On constatera ainsi que vous savez occuper l'espace et que vous aimez créer un lien direct même avec ceux qui sont plus en retrait.

8.4.4   La table de poker

Les sièges sont disposés sur trois des quatre côtés d'une table rectangulaire. Vous, vous êtes seul de votre côté. Cette répartition des sièges relève d'une approche à la fois technique et collaboratrice, même si vous avez l'impression d'être devant un peloton d'exécution.

Les dangers	Les avantages
Étant donné la disposition des sièges, vous n'avez en aucun temps une vision d'ensemble des gens présents. Vous en êtes réduit à jeter des regards furtifs à gauche et à droite, ce qui peut être interprété comme de la nervosité ou de la suspicion.	Vous pouvez développer votre sens de l'écoute en portant attention au crissement du papier, à la respiration des participants ou au bruit d'une chaise déplacée. Vous deviendrez si habile que vous pourrez interpeller des participants hors de votre champ de vision.
À force de jeter des regards à droite et à gauche, vous risquez de perdre votre élan ou même le fil de votre présentation.	Si vous simplifiez votre texte et vos propos, vous en arrivez à « planer » au-dessus de votre scénario, à la manière d'un musicien qui se permet des variations. Les gens autour de vous auront la certitude que vous êtes un expert pour qui un document sert d'outil de référence et non de carcan.

8.4.5   Le face-à-face

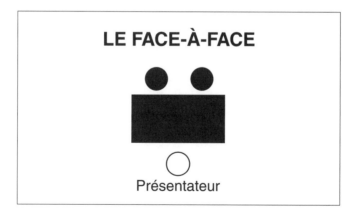

Cette disposition est aussi agréable que dangereuse. Pensez à une lionne calmement couchée devant vous. Elle se repose et vous accepte

près d'elle? Elle attend le moment opportun pour vous arracher la tête? Vérifiez si la lionne a bien mangé avant d'accepter de prendre place directement devant elle. Cette disposition est le propre d'un comité d'analyse ou de présélection. On l'utilise aussi dans une rencontre décisionnelle.

Les dangers	Les avantages
Le face-à-face donne souvent lieu à une confrontation involontaire; vous risquez de trop réagir, de trop parler ou de vous laisser emporter.	Si vous vous maîtrisez, vous pouvez établir un rapport très solide avec votre interlocuteur.
Vous risquez de trop vous rapprocher de votre interlocuteur, brisant ainsi sa «bulle». Le danger devient encore plus grand s'il est d'une autre culture.	Vous pouvez garder «la bonne distance», ne transgresser aucune règle de bonne conduite. Vous gagnez ainsi en crédibilité.
Vous pouvez rompre le contact visuel en portant trop d'attention à vos documents ou à vos outils technologiques. Votre matériel peut aussi distraire le client. S'il s'émerveille devant votre présentation PowerPoint ou une belle photo, il ne vous regarde pas et ne vous écoute probablement plus.	Vous êtes en mesure de capter les réactions de votre interlocuteur si vous connaissez bien votre scénario de présentation et si vous ne lui soumettez pas une avalanche de documentation.
La moindre distraction peut briser le rythme et le ton de votre présentation (vous cherchez une donnée dans votre document, le client regarde passer un camion, etc.). Si l'unique personne devant vous décroche, vous perdez 100% de votre auditoire!	Si vous avez répété votre scénario, vous pouvez en arriver à «transcender» ces outils, au profit d'une vision commune qui tient à votre communication verbale et non verbale. Vos signes de confiance et d'entregent peuvent créer un rapport extrêmement puissant.

8.4.6   Le côte à côte

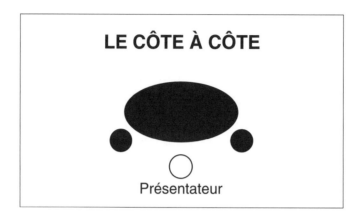

La disposition côte à côte est de plus en plus populaire, surtout chez les gestionnaires et les entrepreneurs qui ont une approche peu hiérarchisée et peu fragmentée. Un bureau de travail dont un côté est recourbé montre souvent un signe d'ouverture d'esprit : les deux personnes ne sont pas face à face mais presque côte à côte, partageant ainsi une vision commune de ce qui se trouve devant elles. Ce type d'emplacement est approprié à une rencontre de présélection ou décisionnelle.

Les dangers	Les avantages
Votre interlocuteur peut entrevoir vos notes personnelles.	Vous pouvez choisir de « laisser paraître » certains documents qui vous mettent en valeur, comme la lettre d'un client satisfait ou votre agenda bien rempli.
La proximité est propice à vous faire dévier du sujet principal.	Si vous êtes habile, vous pouvez marquer de brèves pauses pour voir si le client revient de lui-même sur le sujet. Il affiche ainsi son intérêt !
Certains gestes adaptés à une présentation devant un groupe (gestes amples, regard intense, etc.) peuvent entraîner un malaise dans un contexte où les coudes se frôlent.	Vous pouvez apprendre à faire des gestes plus discrets, au point de vous montrer très attentif et d'afficher une imposante retenue. La plupart des clients apprécient la retenue et la protection psychologique qui en découle.

8.5 Percevoir et exploiter l'interrelation entre les participants

La différence entre un bon joueur et un excellent joueur de billard est parfois simple : le premier compte sur son talent pour gagner, tandis que le second mise autant sur le jeu de son partenaire de table que sur son propre talent. La morale de cette histoire ? Vous gagnez à percevoir et à exploiter habilement l'interrelation entre les personnes à qui vous présentez votre offre. La majorité des experts en la matière vous diront qu'on ne peut « vaincre » un groupe ; il faut plutôt alimenter les forces vives du groupe et neutraliser ses éléments négatifs.

Votre capacité de percevoir le jeu d'influence et de pouvoir entre les membres du groupe est un élément clé du succès de votre présentation.

8.5.1 L'ajout

Certaines personnes ne se contentent pas d'écouter les propos des autres ; elles ont une envie souvent exagérée d'en rajouter. Il s'agit souvent de participants qui désirent ardemment obtenir un poste administratif.

Malheureusement, leur candeur et leur penchant pour l'excès font d'eux de mauvais candidats à des postes pour lesquels la réserve et la discrétion sont des atouts. Vous risquez de considérer celui « qui en ajoute » comme un allié de première importance, alors qu'il déstabilise probablement le groupe. Son enthousiasme et sa créativité confondent la majorité des participants. De plus, vous risquez de rompre votre élan et d'ajouter des éléments à votre offre, pour le plaisir de cheminer avec un auditeur si attentif.

Propos et comportement	Quelques tactiques à appliquer
On réagit avec un langage non verbal animé et souvent saccadé.	Souriez brièvement à ces propos, sans toutefois regarder directement la personne, ce qui l'inciterait à de nouveaux débordements.
On vous coupe la parole avec un commentaire vif.	Continuez votre présentation sans broncher si le commentaire vous semble futile.
Les propos commencent par « Et en plus… » ou « Oui et… ».	Regardez très brièvement l'émetteur si le commentaire est pertinent et utile à votre présentation, puis détournez la tête avant de continuer.
On vous parle, mais en jetant des regards vifs aux autres membres du groupe.	Regardez volontairement une autre personne avant de continuer. Ainsi, vous évitez d'alimenter l'enthousiasme mal orienté de l'individu susceptible de faire dérailler votre présentation.

8.5.2   Le renforcement

Certains participants ont une manière habile de se positionner dans un groupe de travail : ils évitent de se prononcer ouvertement, mais ils donnent leur appui à des collègues. S'ils envisagent de gravir des échelons, l'adjoint habile et le gestionnaire de deuxième niveau se prêtent souvent au renforcement. Par exemple, un adjoint sourit à votre propos ou hoche la tête, mais en jetant un regard confiant vers son supérieur.

Votre insécurité peut vous jouer un tour, car vous risquez de montrer une expression de soulagement en constatant qu'il y a renforcement. Les membres influents du groupe peuvent en conclure que vous n'êtes pas assez confiant ! Pis encore, vous risquez de ne pas percevoir à qui au juste s'adressent les propos de ces alliés naturels.

Propos et comportement	Quelques tactiques à appliquer
Le langage non verbal est réservé mais évident : mains tendues vers un collègue, paumes vers le haut, tête penchée d'un côté, hochement subtil et lent de la tête, sourire à peine perceptible, etc.	Retournez un très bref regard et un sourire à peine perceptible pour aviser cette personne que vous appréciez son appui. Continuez avec un très rapide regard (sans mouvement de tête !) vers la personne visée par votre allié.
	Hochez lentement la tête, comme le fait votre allié, puis continuez de manière plus lente et réfléchie pendant quelques secondes. Notez très attentivement la réaction de la personne dans le groupe qui est visée par le regard de votre allié.

8.5.3   La nuance

Rares spécimens de sagesse et de flexibilité, certains ont le talent d'apporter des petites mais importantes nuances à des propos émis. Plusieurs les considèrent comme des « emmerdeurs », mais d'autres apprécient leur vision d'ensemble. Ces gens ont souvent une grande expérience (donc un certain âge) dans plusieurs domaines du secteur.

Le risque que vous courez est directement lié à votre professionnalisme et à votre créativité : vous risquez de paraître très impressionné par un commentaire particulièrement futé. Votre émerveillement, même justifié, entraînera presque certainement du scepticisme chez les autres membres du groupe. Ils peuvent conclure que vous n'aviez pas pensé à cette précision émise dans le feu de l'action par une personne qui n'a pas participé à la préparation de votre présentation.

Propos et comportement	Quelques tactiques à appliquer
On montre un langage non verbal très subtil et fugace (paupières abaissées en signe de concentration, un doigt frottant délicatement la joue, bouche entrouverte, etc.).	Souriez largement et lentement en regardant directement ce « spécialiste » qui vous « aide » à faire votre présentation. Validez son point de vue, sans pour autant lui accorder une importance disproportionnée, par exemple en disant « En effet… » ou « On est sur la même longueur d'ondes… ». Si la nuance ne vous semble pas pertinente, relevez quand même le caractère exceptionnel du commentaire : « En effet, cela s'applique à des circonstances exceptionnelles » ou « Ce point de vue est valable pour des entreprises beaucoup plus petites que la vôtre… »
On utilise fréquemment le mode conditionnel : « Cela impliquerait-il ?… » « Vous suggéreriez donc que… ? »	Formulez aussi vos phrases au mode conditionnel afin d'éviter d'apporter de l'eau à ce moulin. Par exemple : « En effet, cela pourrait être un élément important si le service était offert en hiver plutôt qu'en été. »

8.5.4   La résistance

Moins rares sont les résistants pour qui presque tout progrès est interprété comme une attaque à des droits acquis. Ces gens sont plutôt difficiles à cerner, car plusieurs motifs peuvent alimenter leur comportement. Le résistant a plafonné dans l'entreprise et il en veut aux autres pour ses propres limites ou il est compétent mais frustré (on a pu lui refuser, de manière malhabile ou malhonnête, un avancement mérité). Il peut aussi être expert dans son secteur, mais avoir développé une certaine arrogance envers les non-initiés qui l'entourent.

Vous risquez de tomber dans un piège : vouloir vous défendre contre un adversaire qui mérite d'être remis à sa place. En cédant à cette malsaine tentation, vous risquez de transformer un amateur en kamikaze.

Propos et comportement	Quelques tactiques à appliquer
Le langage non verbal est évident et constant : mouvements de tête fréquents, dépôt bruyant du crayon, martèlement du doigt sur la table ou sur le bras de la chaise, regards furtifs aux autres juste avant de parler, etc.	Respirez par le nez avant de répondre au résistant. Cette fraction de seconde vous permet de demeurer centré sur votre sujet et non sur la lutte gréco-romaine à laquelle vous invite votre adversaire ! Affichez un très léger sourire, en portant votre regard sur le groupe entier ; cela vous permet d'évaluer le degré d'hostilité de l'individu. Évitez à tout prix de vous « expliquer » à la suite d'une accusation déguisée. Recourez plutôt à une répétition de votre affirmation. Par exemple, à une personne qui trouve exagéré le temps d'analyse que vous avez prévu, vous pouvez répondre : « En effet, le temps d'analyse est de 15 heures, période au cours de laquelle on examine une situation qui n'a pas été évaluée depuis trois ans. »
La voix est forte et le rythme, saccadé.	Parlez lentement et calmement, en baissant légèrement le ton. Vous montrerez ainsi que vous maîtrisez vos émotions et amènerez les gens à se taire pour vous écouter.
Le début des phrases est typique de la résistance : « Oui, mais… »	Proposez d'aborder plus tard l'objet de la résistance. Une façon de faire : « En effet, je vais présenter l'aspect sécurité au cours du dernier volet de ma présentation ! »
Les propos sont truffés de silences plus ou moins habiles (« Vous voulez me faire… croire… que votre délai… est toujours… respecté ! »).	Offrez, poliment et fermement, au résistant de présenter son point de vue seulement si vous êtes certain de la faiblesse de ce point de vue. Ne réagissez pas pendant son exposé laborieux, puis continuez comme s'il n'avait rien dit. Son exposé a probablement anéanti la crédibilité de son point de vue.

8.5.5   La confrontation

Vous rencontrerez assez rarement des participants de ce type, car les groupes et les comités d'évaluation sont presque toujours composés de gens qui ont intérêt à apporter des changements. Les contestataires aiment souvent la confrontation et recherchent des occasions de se mesurer « pour le sport » avec une personne qui se présente comme un spécialiste. Cette personne, c'est vous.

Vous auriez tort de confondre la résistance et la confrontation ; la première présuppose la présence d'une autre possibilité, alors que la seconde n'en présente aucune. Le résistant veut changer les règles du jeu en cours de route, tandis que le contestataire désire simplement faire exploser la table !

Propos et comportement	Quelques tactiques à appliquer
Le langage non verbal est rudimentaire et irrespectueux (crissement du papier, grognement subtil à des moments clés, crissement du stylo, etc.).	Visualisez rapidement cette personne en tant qu'épouvantail : cela lui enlève toute substance et fait paraître ses gestes exagérés. Évitez à tout prix de répondre directement au contestataire, car vous donneriez du poids à ses propos ! Observez immédiatement la réaction des autres par rapport aux propos émis (étonnement, réprobation profonde, etc.).
On vous interrompt pour vous faire répéter des éléments pourtant très clairs et simples.	Si le groupe désavoue visiblement les propos du contestataire, ne réagissez pas et continuez votre présentation. Si le groupe demeure neutre, répondez non pas avec des données techniques, mais plutôt avec un paradoxe ou même avec une parabole. Par exemple, si un technicien met en doute des chiffres pourtant reconnus dans le secteur, vous pouvez répondre : « Les chiffres, c'est comme les gens : si on les torture assez, ils peuvent avouer plein de choses… »
On n'écoute pas vos réponses (détournement de regard, expression d'incrédulité, etc.).	Maintenez une expression de confiance et de respect envers le contestataire. La meilleure manière de le dérouter est de lui témoigner de l'amitié… tout en continuant votre chemin. Cela lui fait sauter quelques fusibles !

PRÔner la formule PRO

Dans les grandes occasions, on doit moins s'appliquer à faire
naître des occasions qu'à profiter de celles qui se présentent.

La Rochefoucauld

Vous avez un esprit rationnel et doutez que l'intuition joue un
grand rôle dans le monde sérieux des affaires ? Détrompez-
vous ! L'intuition est un outil de travail qu'utilisent souvent les
entrepreneurs et les professionnels qui ont concrétisé de grands projets.

9.1 L'intuition

Le recours à l'intuition est un phénomène fréquent chez le professionnel ambitieux et flexible. Si un professionnel a de l'expérience, il
utilise des expressions populaires comme *pif, flair, flash, mon petit
doigt me l'a dit, décision éclair*, etc.

Répondez en 30 secondes aux questions ci-dessous pour vérifier l'état actuel de votre intuition. Si vous cherchez une grille de réponses ou d'évaluation, vous manquez d'intuition !

	Rarement / très difficilement	Parfois / difficilement	Souvent / facilement	Toujours / aisément
J'écoute consciemment lorsque je parle.	❏	❏	❏	❏
Je note le mouvement des yeux de ceux à qui je parle.	❏	❏	❏	❏
Je note les légers mouvements d'épaules ou de jambes lorsque les autres me répondent.	❏	❏	❏	❏
J'utilise des synonymes et des comparaisons quand je présente mes idées.	❏	❏	❏	❏
J'attends la fin des propos de mon interlocuteur avant de formuler ma réponse.	❏	❏	❏	❏
J'entame mes répliques en partant de l'idée émise par mon interlocuteur.	❏	❏	❏	❏
Je peux demeurer immobile et attendre deux secondes avant de répondre.	❏	❏	❏	❏
Je prends quelques secondes pour prendre des notes sans me sentir obligé de parler.	❏	❏	❏	❏
Je peux demander à un interlocuteur de répéter une phrase que j'ai déjà comprise.	❏	❏	❏	❏

La définition de l'intuition

Intuition. L'interconnexion instantanée et complète des sens et du cerveau devant une situation donnée.

Autrement dit, quand on arrive à capter très attentivement le moment présent (vue, ouïe, odorat, toucher, goût) et à acheminer cette information au cerveau sans analyse idéologique, on est en état d'intuition. La perception se révèle à ce point précise et neutre que le temps d'analyse est réduit à presque rien… sans perte de précision. Le truc consiste à reconnaître ces moments de grâce.

9.2 La passion

Le *Petit Larousse* définit la passion comme « un mouvement impétueux vers ce qu'on désire, une émotion puissante et continue, une inclination très vive ». Il est inutile d'en dire davantage !

**Ici, l'autoévaluation se résume à une seule question.
Pour réussir, vous devez évidemment obtenir une note parfaite.**

	Non	Oui
Au moins trois soirs par semaine, je me couche en ayant hâte de me réveiller pour recommencer à travailler.	❏	❏

Trop de professionnels sont centrés sur la raison, croyant que leur compétence théorique et technique suffit à établir un lien de confiance. Ils présentent leurs dépliants, leurs maquettes et leurs présentations PowerPoint... puis encaissent un échec qui leur semble incompréhensible. Nous connaissons tous des professionnels moins compétents que nous qui décrochent des contrats alléchants. Qu'ont-ils de plus que nous ? Une passion contagieuse par rapport à leur projet et aux personnes à qui ils s'adressent ainsi qu'une logique implacable de développement. Ils établissent un rapport personnel direct.

Un vieil entrepreneur quasi illettré a expliqué ainsi la différence entre l'intelligence et la logique à des étudiants à la maîtrise en administration : « Vous êtes brillants comme des ampoules de 500 watts, mais vous échouez parce que vous essayez d'allumer toute la ville ; des gars comme moi n'ont qu'une ampoule de 50 watts, mais on éclaire ce qui est proche de nos intérêts ! »

9.3   La compétence

Tout comme un bon joueur de billard, l'entrepreneur et le professionnel ne misent pas sur l'espoir. Ils préfèrent compter sur la compétence et sur l'entregent.

Pour les gens compétents, l'obtention d'une attestation, d'un diplôme ou d'un prix n'est qu'une étape normale de croissance.

**Ici aussi, l'autoévaluation est assez brève.
Répondez franchement — personne ne vous regarde —
et tirez votre propre conclusion.**

	Oui	Non
J'aime écouter les gens moins « compétents » que moi.	❏	❏
J'utilise des mots plutôt simples, même quand je sais que mon auditoire comporte plusieurs collègues de métier.	❏	❏
Je participe à au moins une séance de formation par mois.	❏	❏
J'accepte volontiers de donner des allocutions ou des témoignages relatifs à mon champ d'expertise.	❏	❏

Lorsque vous présentez une offre de service à un comité, vous n'avez pas à portée de main un bouton « Rembobiner ». Présumez que la directrice a invité un expert pour faire le contrepoids à vos propos.

9.4   Une formule de base : PRO

La présentation d'une offre de service est davantage un art qu'une science. C'est ce qui explique le nombre et la diversité des stratégies, des tactiques et des outils de travail. Cela vous déplaît, vous qui recherchez une recette gagnante ? Cela vous agace, vous qui cherchez une formule scientifique ? Cela vous enrage, vous qui êtes un adepte des paradigmes ? Il faut pourtant accepter la nature fluide et organique de la présentation. Les trois points suivants devraient mettre fin à votre recherche de vérités absolues.

- S'il existait une recette gagnante, presque tout le monde l'aurait, ce qui ferait que vous pourriez difficilement vous démarquer de vos concurrents !

- Si l'on avait trouvé une formule scientifique, tout le monde s'en servirait déjà avec succès et vous n'auriez pas la chance de vous distinguer.

- Si l'on avait élaboré un paradigme théorique, cette approche serait connue et il vous serait quasi impossible de vous démarquer.

Le professionnel ambitieux et créatif se réjouit de la nature fluide et organique de la présentation. Il apprend des principes généraux et essaie des stratégies de base. Il fait mieux encore : il tire de ces stratégies des tactiques intuitives qui font toute la différence.

La formule PRO ne vise pas à réinventer la roue ; elle vise à y ajouter des engrenages et à la rattacher à un volant. Elle vous permettra d'aller plus vite dans la direction que vous choisissez. Le graphique présente cette formule qui fournit un cadre général de travail et alimente votre imagination.

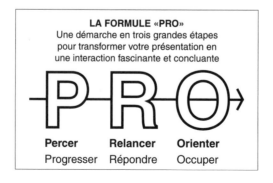

LA FORMULE «PRO»
Une démarche en trois grandes étapes
pour transformer votre présentation en
une interaction fascinante et concluante

Percer   **Relancer**   **Orienter**
Progresser   Répondre   Occuper

P	Pour percer, progresser

Les premières secondes de votre présentation doivent percer le « mur » derrière lequel se trouve votre client potentiel. Votre offre doit correspondre à ses besoins et à ses contraintes. Vous devez « occuper une place » dans la tête de votre vis-à-vis.

R	Pour répondre, relancer

Le déploiement de votre offre doit correspondre aux désirs du client visé. Vous devez répondre à toutes ses questions ou même les susciter si elles sont peu nombreuses. Un client qui pose des questions est un client qui réfléchit et qui vous donne un aperçu de ses critères de décision. Vous devez relancer l'intérêt de votre vis-à-vis et non lui offrir une avalanche d'information.

O	Pour orienter, occuper

La réussite de votre présentation découle de votre capacité non pas à imposer votre projet, mais à orienter le décideur. Votre capacité de conclure une entente est étroitement liée à votre capacité non pas d'occuper le terrain, mais de trouver des « occupations » à votre client potentiel (projets, actions imminentes, etc.).

Un petit truc pour vous aider à retenir la formule PRO : vous offrez des services *professionnels*, vous êtes vous-même un *pro* qui soumet une *proposition* d'affaires.

Percer et progresser : le paradoxe productif

Une partie de billard commence avec la bille de choc qui fait s'éparpiller les quinze autres. Dès les premières secondes de votre présentation, votre vis-à-vis doit oublier son horaire, ses soucis et ses problèmes. Entamez votre présentation avec des propos dérangeants ou inattendus afin d'éveiller un intérêt immédiat.

Répondre et relancer : le rythme et la relation

On ne peut gagner une partie de billard sans utiliser habilement les rebords de la table. Vous devez utiliser de façon constante et imaginative les réactions et les interventions de celui à qui vous parlez. Vous êtes davantage un animateur et un expert qu'un vendeur traditionnel.

Orienter et occuper : la procédure et la promesse

Une partie ne prend pas fin au bout d'un coup, à moins que vous n'affrontiez un adversaire chevronné qui « nettoie » la table chaque fois. Dans ce cas, votre méthode de préparation est aussi déficiente que votre jeu de baguette ! Une présentation comporte des moments forts et des interludes, des mouvements rapides et des replis habiles. Le client d'aujourd'hui est souvent très scolarisé, expérimenté et sceptique.

Aidez votre client à parvenir à sa conclusion.

PROcéder : trois approches

Tout le monde se plaint de sa mémoire,
et personne ne se plaint de son jugement.
La Rochefoucauld

l existe au moins trois façons de tenir une queue de billard : à travers un doigt recourbé, entre le pouce relevé et la jointure et à l'aide d'un diable dans des situations difficiles. On choisit la méthode en fonction de la situation, de sa force et du coup que l'on veut faire. Lisez très attentivement ce chapitre et apportez-y votre touche personnelle. Rien n'est plus déprimant ni moins frappant qu'une présentation qui semble tirée d'un livre, même de celui-ci !

10.1 Les forces et les dangers des approches high-tech, low-tech et no-tech

10.1.1 L'approche high-tech

Symbolisant l'approche high-tech, les présentations multimédias et les images créées avec le logiciel PowerPoint sont très populaires auprès d'une clientèle jeune et urbaine ainsi qu'auprès des entreprises qui sont (ou qui se croient) à la fine pointe du développement des affaires.

Forces et avantages	Limites et dangers
L'approche high-tech est bien vue et appréciée du client jeune qui baigne dans la technologie.	Le client que vous visez ne fait peut-être pas partie de ces boulimiques de l'informatique, surtout s'il est plus âgé ou s'il travaille dans un secteur traditionnel.
Elle convient à la majorité des technocrates et des techniciens qui ne se laissent pas distraire par des instruments et des outils impressionnants.	Votre auditoire peut porter davantage attention à votre technologie qu'à votre message.
Elle permet de présenter une grande quantité d'information, et ce, sous plusieurs formes.	Un pépin technique peut réduire à néant votre contenu. Imaginez une panne de disque dur et l'expression de ceux qui vous regardent tenter de relancer ce bidule de 15 000 $...
Elle permet de diriger le regard de votre auditoire vers un seul point, souvent l'écran, ce qui réduit les possibilités d'influence entre collègues.	Votre présentation multimédia risque de « divertir » au lieu d'informer, surtout si elle est spectaculaire.
Elle se déroule presque toujours dans un lieu agréable, bien adapté à ce type de présentation.	Une salle spécialisée peut distraire ceux qui y entrent pour la première fois ou qui y viennent rarement. Parce qu'elle se compare à un cinéma, la salle de projection informatique est impressionnante.

Elle apporte de l'éclat à la présentation de services peu spectaculaires.	Elle risque de faire dévier l'intérêt de votre auditoire vers le contenant plutôt que le contenu. Il est difficile de parler à des gens qui s'extasient devant un bidule audiovisuel.

10.1.2 L'approche low-tech

Le bon vieux rétroprojecteur, le tableau et des maquettes simples sont les instruments de l'approche low-tech. Considérée comme primitive par les fervents de la haute technologie, cette approche donne d'excellents résultats dans plusieurs circonstances.

Forces et avantages	Limites et dangers
Le rétroprojecteur vous permet d'intervenir directement, par exemple en présentant un transparent complémentaire.	Il requiert une série de mouvements de la part du présentateur, lesquels sont susceptibles de créer du désordre dans les transparents ou de briser le rythme de la présentation.
L'utilisation du tableau vous permet de donner vie immédiatement à des mots clés émis par les participants, accroissant ainsi la complicité entre vous et votre auditoire.	Un manque d'écoute peut vous amener à inscrire des mots inutiles, ce qui surprendra les participants, et une mauvaise graphie peut laisser une impression d'amateurisme.
Parce qu'ils sont d'usage courant, ces outils laissent toute la place au sujet et à l'interrelation, ce qui favorise le rythme de votre présentation.	Une faiblesse de votre part en matière d'animation risque de donner un côté scolaire (ou préscolaire !) à vos propos.
Des démonstrations ou des essais permettent de donner vie à des services qui autrement peuvent sembler abstraits.	Toute erreur technologique peut signer votre arrêt de mort. Pensez à un petit moteur électrique qui ne démarre pas, à un programme informatique qui « gèle », etc.
Une maquette, surtout si elle comporte un aspect interactif, garantit un haut niveau de participation et d'attention.	Vos démonstrations à l'aide d'une maquette peuvent déraper si l'on s'intéresse davantage à la maquette qu'à vos propos ou si un participant brise une penture délicate de votre construction...

10.1.3 L'approche no-tech

Qu'est-ce que l'approche no-tech ? Il peut s'agir, par exemple, d'une démonstration présentée au restaurant ou d'une présentation frappante faite dans un contexte inédit ou un lieu inattendu.

Forces et avantages	Limites et dangers
La démonstration no-tech est en fait un moment magique où personne n'a le temps de recourir à des schémas ou à une procédure d'évaluation formelle ; la perception et les émotions y sont très actives.	Vous risquez de transgresser la ligne qui sépare l'acceptable de l'inacceptable, surtout auprès de ceux qui ont une culture personnelle ou d'entreprise très rigide.
Si vous arrivez à frapper l'imagination et à véhiculer des valeurs respectées dans le milieu, ces moments de grande surprise peuvent vous permettre de contourner les réticences les plus solides.	Ces moments de « théâtre-vérité » exigent presque toujours une préparation minutieuse et ardue ; planifier le hasard représente tout un défi !
La brièveté habituelle de ces moments spectaculaires favorise la conclusion d'ententes « ici et maintenant ».	Cette brièveté peut aussi provoquer une fin de non-recevoir, surtout si l'intervention froisse des valeurs fondamentales de l'entreprise visée.

10.2 Percer et progresser : le paradoxe productif

Le premier objectif de votre présentation consiste à faire oublier le « monde extérieur » et le schéma habituel de perception, tout en amenant les gens visés à se centrer sur le sujet à venir et sur la décision à prendre. C'est toute une commande à remplir ! Voici quelques trucs du métier qui ne vous seront utiles que si vous les adaptez à votre personnage professionnel et à votre objectif stratégique.

10.2.1 Une présentation de soi qui semble incongrue

Présentez-vous non pas avec votre titre ou fonction (cela est habituellement déjà fait par celui qui vous a convoqué), mais avec une référence hors normes. Cela vous permet d'établir un contact personnel qui renforce votre titre ou votre fonction.

Par exemple, un spécialiste en implantation de systèmes hydrauliques se présente en disant : « Mesdames et messieurs, je suis le fils de Fifi Brindacier et je suis encore plus débrouillard qu'elle ! » Il vient d'établir un rapport direct et fort en misant sur un personnage que presque tous connaissent. Parions qu'au moins un participant l'interpellera par la suite avec ce surnom, ce qui sera une preuve de complicité.

De son côté, une médiatrice amorce sa présentation en disant : « Messieurs, je me nomme Nathalie... avec ou sans H, comme vous préférez. » Elle vient d'établir sa crédibilité en matière d'interrelation.

10.2.2 Une question inattendue

Vous pouvez aussi percer le mur du scepticisme avec une question qui suscite une réponse spontanée.

Imaginez un consultant en systèmes d'exploitation pour ordinateurs qui demande très sérieusement à un groupe d'ingénieurs : « Quel est votre juron préféré devant l'écran ? » Ce spécialiste a visé juste en suscitant une réplique personnelle de la part de professionnels reconnus pour leur retenue vis-à-vis des contractuels.

10.2.3 Un geste inattendu

Certains gestes parlent davantage qu'un long discours, surtout s'ils sont bien calculés. Ils suscitent presque toujours une question d'éclaircissement de la part des participants, qui confirment ainsi leur intérêt à vous écouter.

Par exemple, un agent immobilier spécialisé dans le secteur industriel se présente en déposant de manière évidente un gros clou sur la table, puis il garde un silence poli. On lui demande : « Mais qu'est-ce que c'est ? » L'agent répond avec une série de références au clou, lesquelles forment l'axe de sa présentation. Tous s'y retrouveront, et l'agent laissera le clou en souvenir de sa présence. On y découvrira donc tôt ou tard que son nom y est gravé.

10.2.4 Un défi impossible

Si vous offrez un service ou utilisez une technique innovatrice, vous pouvez avec confiance lancer un défi qui semble insurmontable pour le commun des mortels. Vous devez cependant être tout à fait certain qu'il soit réalisable dans les conditions réelles.

Par exemple, une experte en récupération d'huiles usées propose ceci à des clients potentiels : « Je vais récupérer 99,9 % de l'huile usée que voici (elle verse de l'huile sur sa veste) afin de vous prouver le rendement de notre méthode brevetée. » Les personnes présentes demeureront certainement là jusqu'à la fin pour voir le résultat !

10.2.5 Une affirmation invraisemblable

Lorsque vous faites face à un groupe reconnu pour sa méfiance envers les services que vous offrez, vous pouvez amplifier ce scepticisme jusqu'à en faire votre point de départ.

Ainsi, un poseur de tapis industriels qui est reçu par des architectes chevronnés entame sa présentation avec cet avertissement : « Messieurs, je vais coller ce morceau de tapis sur le plancher (il se penche pour le faire) et si je n'ai pas fini ma présentation en cinq minutes, nous ne pourrons pas l'enlever sans arracher un morceau de béton. Puis-je avoir votre permission ? » Devant l'incertitude des participants, l'entrepreneur sort de sa serviette une petite plaque de béton, la dépose sur le plancher, puis y colle un carré de tapis. Même le plus taciturne des architectes sera curieux de tester la colle au bout de cinq minutes. Ce sera chose faite, car l'entrepreneur a planifié une pause au bout de cinq minutes pile.

10.2.6   Une attente « insoutenable »

Le recours à des technologies de pointe s'accommode bien d'une sorte de compte à rebours : on gagne à créer un mouvement d'anticipation avant de lancer la présentation multimédia. Entamer le spectacle trop rapidement crée un décalage que peu de participants peuvent rattraper. Ils ne sont pas prêts à écouter et à observer attentivement votre document audiovisuel. Vous gagnez à créer une petite introduction qui attire l'attention et qui donne le ton.

Par exemple, une spécialiste en gestion de projet prépare le début de sa présentation sur projecteur d'images informatisées avec un écran noir et des sons de moteur qui démarre avec difficulté pendant trois secondes. Quand la première image apparaît, les applaudissements fusent, car tous espéraient un démarrage ! Cette entrepreneure futée a attiré l'attention de son auditoire avant même d'avoir commencé à parler.

10.2.7   Le besoin d'aide

Si vous avez développé votre personnage professionnel ou atteint un haut niveau de compétence, vous pouvez recourir à la tactique « besoin d'aide ». Au lieu d'assumer le leadership, déléguez-le au groupe au début de la présentation.

Ainsi, un arpenteur se lève devant un comité de gestionnaires d'une usine où l'on prévoit un agrandissement et il demande : « Je vais vous faire une offre précise si vous finissez la phrase suivante : "Monsieur l'arpenteur, on aimerait que vous nous aidiez à…" » Si l'arpenteur a pu noter qui était à la tête du comité, il gagne à regarder cette personne, qui résumera probablement l'essentiel des attentes du comité. Il pourra immédiatement adapter son scénario.

Chacun de ces trucs du métier a pour but de désarçonner, de rediriger la perception des participants. Les spécialistes en vente et en représentation parlent ici de « dissonance cognitive » ou de « rupture de paradigme ». Disons simplement qu'il s'agit d'attirer l'attention de l'auditoire, sur une nouvelle base.

À la manière d'un joueur de billard qui annonce son intention et son but avant de faire son coup, vous gagnez à résumer l'essentiel de votre présentation avant de procéder. Ce résumé, qui s'énonce en une ou deux phrases, permet à vos vis-à-vis de prévoir le déroulement de votre prestation et de situer leurs attentes ou leurs champs d'intérêt.

Vous pouvez faire ce résumé seulement si vous avez une perception très claire de votre objectif stratégique et de votre scénario de présentation. Ici, vous manipulez de la nitroglycérine : un mot de travers et votre présentation vous saute au visage ! Voici un exemple de bon résumé :

« Dans 20 minutes, vous serez en mesure d'établir si mon entreprise peut figurer parmi votre liste de soumissionnaires, et ce, pour trois raisons : proximité, conformité et productivité. Vous établirez le potentiel de collaboration de mon entreprise à votre démarche ISO 9002. Sommes-nous d'accord ? » (Ici, le consultant glisse une question engageante qu'il saura exploiter le moment venu.)

Notez le recours à des éléments mesurables, notamment en ce qui concerne le facteur temps. En faisant cela, vous réduisez les risques qu'on abrège votre présentation. Vous augmentez aussi vos chances de respecter votre scénario.

10.2.8 Les quatre formes de progression

Comme vous avez réussi à briser la glace sans tomber à l'eau, vous pouvez entamer votre présentation. Évitez de partir en trombe : on « vide » rarement la table de billard d'un seul coup !

Examinons les quatre formes de progression que peut prendre votre présentation. Vous pouvez évidemment adapter des variantes et coupler des formules, à condition que le tout reste d'une simplicité fondamentale. Plus le scénario se révèle complexe, plus grandes sont les chances d'échec.

Le crescendo

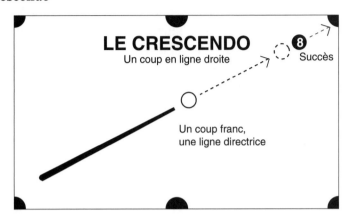

Cette progression ressemble à une montée où le contenu, le rythme et l'interaction accélèrent jusqu'à la « grande finale ». Le crescendo est surtout utilisé par le présentateur qui offre des services techniques simples ou qui s'adresse à un auditoire formé de gens qui connaissent peu le sujet. Le côté spectacle de cette approche doit être perceptible, mais pas au point de faire oublier le sujet. Comme vous misez sur les dernières secondes pour conclure, vous risquez le tout pour le tout : une erreur peut miner la confiance de vos interlocuteurs.

Les monts et vallées

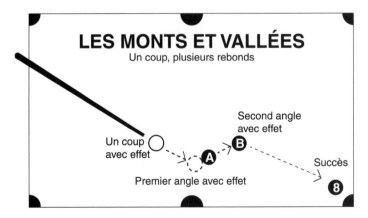

Cette approche constitue une variante du crescendo, où chaque « montée » est plus intense que la précédente. L'astuce consiste à établir un rythme qui permet des montées d'intérêt psychologique ou émotionnel et des périodes de réflexion. Cette approche est habituellement utilisée pour des offres de service assez complexes présentées à des groupes connaissant les services offerts. À chaque nouvelle montée, vous pouvez « conclure », si vous sentez que la réceptivité de votre auditoire le permet.

L'arc

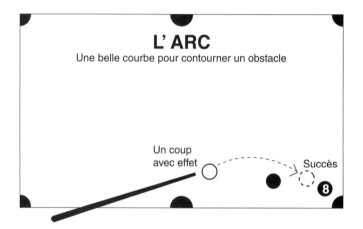

Assez complexe, cette piste est peu utilisée. On tente ici de provoquer une lente montée d'intérêt et de contenu, suivie par une graduelle retombée vers les éléments techniques de l'offre. Cette piste est presque toujours réservée aux présentations complexes qui nécessitent plusieurs rencontres ou devant des clients qui connaissent bien ce que vous offrez (experts, chargés de projet, etc.). Ces gens savent résister aux feux d'artifice et aux montées émotionnelles. L'habile présentateur utilise de petites pointes de vif intérêt en vue de créer de brefs moments forts qui relancent le désir d'analyser.

La comète

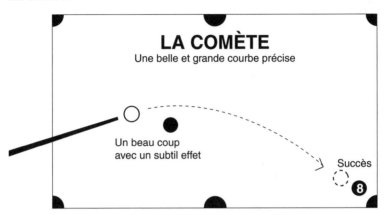

Principalement utilisée dans les présentations de type no-tech, cette approche consiste à créer un élan très rapide et très bref, de manière à capter toute l'attention des gens et à les amener à une conclusion simple et directe. Cette approche est particulièrement adaptée à des offres de service qui répondent à des besoins concrets ou quotidiens ; le client connaît bien les services offerts, au point où il lui est difficile d'y accorder une attention soutenue. Vous créez un moment d'intérêt bref et percutant, à l'aide d'une démonstration frappante ou en faisant ressortir un aspect particulier de votre projet ou de votre produit. Vos vis-à-vis doivent prendre une décision rapide et finale sans réticence.

Le professionnel fortement scolarisé utilise rarement cette approche. Il a été habitué à de longs cours et de longues explications au point où il doute que l'on puisse offrir un service vite et bien… du premier coup.

10.3 Répondre et relancer : le rythme et la relation

Vous avez attiré l'attention de votre auditoire et mis de l'avant votre sujet ; vous devez maintenant établir un rythme de communication et une relation de confiance. Dans votre introduction, vous parlez *aux* gens ; dans votre développement, vous devez parler *avec* les gens. Vous devez être à l'écoute des autres, comme un danseur demeure conscient des pas de son partenaire.

Pour avoir une idée de vos « freins » en matière d'animation, situez votre degré d'accord avec les affirmations suivantes.

	Peu/pas d'accord	Plutôt d'accord	Pleinement d'accord
1. Je dois répondre à une question même malveillante.			
2. Il n'est pas nécessaire de susciter des questions de la part des gens silencieux.			
3. Un groupe attentif et silencieux est réceptif à mon offre.			
4. J'aime expliquer mes idées.			
5. Je m'efforce de rester calme en tout temps, pour éviter de laisser voir mes états d'âme.			
6. Je situe la période de questions à la fin de ma présentation, de manière à mieux gérer mon temps.			

Interprétation des résultats et répliques

Si vous avez répondu « pleinement d'accord » à une affirmation ou plusieurs, revoyez vos idées sur l'animation et l'interaction.

1. En répondant à une question malveillante, vous y donnez du poids. Préférez un large sourire accompagné d'un bref silence.

2. Les gens silencieux sont souvent compétents. Mieux vaut les faire parler pendant que vous êtes là, car ils peuvent démolir votre offre après votre départ.

3. Un groupe peut paraître attentif uniquement dans le but de plaire à un supérieur.

4. Vous aimez peut-être trop vous écouter parler. Ce que vous dites n'est pas nécessairement ce que votre auditoire veut entendre !

5. Un juge doit demeurer neutre, pas un présentateur ! Vous devez afficher certaines émotions afin d'assumer une présence vivante. Choisissez laquelle de vos émotions laisser paraître, ainsi que le moment et la manière de le faire.

6. En « repoussant » l'interaction à la fin de la présentation, on diminue l'interaction et on ralentit le processus d'adoption. Suscitez l'interaction !

10.3.1 La communication stratégique

Êtes-vous impressionné par le talent de certains animateurs à « saisir l'essentiel » des propos qu'on leur lance ? Pour un présentateur futé, les propos d'un participant contiennent trois éléments de base :

- Un sujet principal de communication.

- Un objectif de communication (être informé, informer, analyser, décider, faire agir).

- Un élément du processus décisionnel (un critère, une norme, une procédure).

Quelques exemples illustrent l'avantage de savoir situer le sujet et l'objectif de communication d'un interlocuteur.

- Un participant s'exclame : « Hé ! Je n'ai pas de temps à perdre avec ces détails sur ce bidule à piston : allez donc à l'essentiel que je me fasse une idée claire ! »

Le sujet : le temps (et non le « bidule »).

L'objectif de communication : analyser.

L'élément du processus décisionnel : la vision d'ensemble supplante les aspects techniques.

- Un membre influent du groupe se montre sceptique : « Vous dites que le délai d'implantation est d'environ une semaine... cela veut dire quatre, cinq ou sept jours ? »

Le sujet : le délai.

L'objectif de communication : être informé.

L'élément du processus décisionnel : l'échéance et la planification.

10.3.2 Voir l'individu dans le groupe

Il est impossible de voir tout le monde tout le temps sans souffrir d'une luxation du cou ! Balayez plutôt du regard l'ensemble des gens présents, puis fixez brièvement chaque personne. Une seconde devrait suffire pour percevoir :

- le regard de cette personne (attentif, distrait, dirigé vers vous ou ailleurs, etc.) ;

- la position et le mouvement de ses mains (doigts croisés défensivement, mains au repos, mouvements d'impatience, etc.) ;

- sa posture (droite, affaissée, immobile ou en mouvement, etc.).

Ces éléments du langage non verbal indiquent, autant que le ferait une déclaration formelle, la force du rapport que cette personne entretient avec vous.

10.3.3 Utiliser le silence

À moins de parler à un groupe ayant une expertise identique à la vôtre, vous avez plus de connaissances qu'eux. Il est donc logique de laisser le temps à vos vis-à-vis de recevoir le flot de vos paroles et images. Voici quelques façons de procéder :

- Ralentissez ou cessez brièvement vos gestes. Les gens interpréteront cela comme une invitation à réfléchir.

- Hochez lentement la tête au moment où vous marquez une pause sur un mot clé. Votre auditoire considérera qu'il s'agit là d'un élément qui doit être accepté avant que vous poursuiviez.

- Reculez un peu en désignant de la main un graphique ou une image. Les gens en oublieront votre présence pour se concentrer sur ce qui est montré.

10.3.4 Reformuler une question confuse ou alimenter une réflexion incomplète

Une personne qui, de bonne foi, pose une question confuse accorde à son vis-à-vis deux occasions de progresser : elle avoue sa relative ignorance sur un sujet et exprime son désir d'en savoir plus. Les questions anodines se révèlent souvent plus utiles à votre présentation que ne le sont les demandes étoffées. Soyez bon joueur et répondez au demandeur.

- Remerciez-le de son apport. S'il vous demande quelle est « au juste la différence entre la prise d'information et un examen préalable ? », vous pouvez commencer votre réponse ainsi : « Excellente question qui nous pousse à établir les deux premières composantes d'une intervention. »

- Reformulez une question malhabile ou incomplète en termes professionnels. On vous pose une question truffée de digressions ? Souriez en hochant la tête pendant que vous écoutez, puis reformulez cette question de manière brève et claire. Ainsi, vous invitez l'interlocuteur à écourter ses prochaines questions ou à se taire ! Un conseil : évitez de « féliciter » une personne qui pose une question laborieuse, car cela l'encouragerait à récidiver !

Par ailleurs, certaines personnes lancent des affirmations incomplètes pour vous mettre au défi de « deviner la fin » de leur idée. Comme un interlocuteur risque de perdre la face si vous lui demandez d'aller au bout de sa pensée, vous gagnez à extrapoler et à finir la phrase de manière franche et honnête.

Par exemple, si quelqu'un vous dit : « Je crois que votre offre de service pourrait être plus précise du côté sécurité... », réagissez ainsi : « Bon point, vous voulez avoir plus de données sur notre gestion des risques les fins de semaine ? »

10.3.5 Sourire devant toute question

Toute question étant une occasion d'échanger, souriez même au plus têtu des participants. Le sourire peut prendre plusieurs formes, selon les circonstances.

- Le sourire large et retenu : expression expansive où vous évitez de montrer les dents, mouvement qui démontre votre acceptation raisonnable de l'idée émise.

- Le sourire ouvert et franc : réaction calme et entière où les dents sont à peine visibles et les yeux un peu refermés, expression qui témoigne d'une profonde satisfaction.

- Le sourire surpris et enchanté : mimique où le sourire est inséré dans une bouche ouverte et où les yeux sont grands ouverts, ce qui témoigne d'une agréable surprise devant un élément intéressant.

- Le sourire calme et confiant : mouvement quasi imperceptible de la bouche accompagné d'un très léger abaissement de la tête ou d'un hochement, ce qui révèle une satisfaction profonde liée à des propos méritoires.

Il en va de votre intérêt d'utiliser la force et la subtilité du sourire. Pratiquez ces expressions devant le miroir ; les résultats se feront rapidement voir !

10.3.6 Afficher un langage non verbal souple

Même si l'on n'émet aucune idée lorsque l'on ne dit rien, le langage non verbal continue la transmission d'information. À preuve, un léger faux mouvement attire l'attention, tandis que certaines de vos idées semblent « passer tout droit ».

- Réduisez l'ampleur de vos gestes, de manière à afficher constamment votre capacité de retenir les élans spontanés.

- Restreignez la vitesse de vos actions et réactions afin de démontrer en tout temps votre maîtrise émotionnelle et rationnelle. Une réaction immédiate (sauf en réaction à un jeu de mots ou à une blague) ou un geste rapide donnent à l'observateur une impression que vous êtes nerveux ou confus.

- Demeurez en situation d'équilibre afin d'éviter les mouvements maladroits.

Vous êtes assis pour faire votre présentation ?

- Restez assez droit, laissant à votre tête et à vos bras la majorité des gestes.

- Évitez à tout prix de déposer vos coudes sur la table, réflexe pourtant fort puisque vous désirez vous rapprocher de la personne en face ou à côté de vous !

- Déposez les mains sur la table de manière à avoir les doigts tendus ; les doigts repliés ont tendance à tambouriner ou à jouer avec un stylo.

- Penchez-vous légèrement vers l'avant lorsqu'il faut que vous écoutiez attentivement.

- Tournez la tête en même temps que les yeux pour éviter de jeter des regards obliques souvent perçus comme suspects.

- Prenez de très brèves notes lorsqu'une personne parle afin de lui prouver que ses propos sont importants.

- Déplacez lentement et avec soin toute documentation ou objet (renverser une tasse de café est une piètre tactique de persuasion).

- Prenez un instant avant de répondre à une question ; cela exprime une volonté de réflexion et un constant souci d'analyse.

Vous êtes debout pour faire votre présentation ?

• Gardez votre dos droit en demeurant conscient de votre colonne vertébrale et de votre centre de gravité. Un petit truc : imaginez-vous faisant votre présentation dans l'eau. Vos gestes deviendront plus lents, plus souples.

• Respirez assez lentement pour éviter d'émettre un petit sifflement agaçant. Respirez par le nez : cela ralentit automatiquement l'entrée d'air. De plus, l'expression « Respirer par le nez » rappelle les bienfaits de demeurer calme.

• Respirez aux trois-quarts de votre capacité et non à fond. Des poumons gonflés à bloc produisent un débit irrégulier et une intensité déséquilibrée des propos : les premiers mots seront lancés avec trop de force et les suivants sembleront « se dégonfler ».

• Évitez de mettre vos mains dans vos poches. Sitôt enfouies, vos mains ont tendance à se refermer, ce qui produit deux énormes bosses que tout observateur interprétera comme un signe de grande nervosité ou d'agressivité. Limitez-vous à tâter légèrement le tissu de votre pantalon ; vos mains demeureront ouvertes, signe de confiance.

• Videz vos poches de tout objet susceptible de se déplacer ou de faire du bruit, ce qui réduira davantage la tentation d'y enfouir les mains !

Cette liste de suggestions vous réconforte et vous inquiète à la fois ? Vous vous demandez comment maîtriser autant de gestes conscients ou même inconscients ? La réponse est simple : faites votre possible ! Retenez qu'un langage non verbal très réservé et retenu convient aux gestionnaires, aux cadres supérieurs et à leurs adjoints. Un style non verbal un peu plus expansif plaît parfois aux chefs d'équipe et à leurs subalternes.

10.3.7 Poser des questions

Si vous craignez une question difficile, posez-la vous-même ! Ainsi, vous affichez votre désir d'interaction. Choisissez parmi les tactiques ci-dessous celles qui conviennent le mieux à votre personnage professionnel.

- *La question « schizo ».* Une question que l'on semble lancer au plafond et à laquelle on répond soi-même est une belle manière d'entamer une période de discussion. Si vous prenez une expression de grande concentration (yeux mi-fermés, main sur le menton), vous affichez une sérénité et une sagesse.

- *La question boomerang.* Si les gens hésitent à casser la glace, posez la première question vous-même. J'ai déjà vu un habile présentateur quitter l'estrade pour se rendre au micro des participants et y poser une question, puis revenir au podium répondre à la question !

- *La question téléguidée.* On gagne parfois à poser une question qui semble émaner d'un participant, surtout si cela peut être fait avec un brin d'humour. Par exemple : « Madame Laprade, vous semblez vous demander si j'ai l'expertise requise pour réussir ce projet (celle-ci peut hocher très légèrement la tête) et ça me fait plaisir de répondre que... »

10.3.8 Aider une personne à se rendre au bout de son idée

Certaines personnes lancent un commentaire, mais perdent de vue leur idée. De grâce, aidez-les à terminer leur propos !

Prenons l'exemple d'un adjoint nouvellement promu qui amorce une réflexion un peu trop complexe : « Je crois, en regard des frais de gestion du dossier, que vous aurez, probablement au début du mandat, une difficulté à contenir les coûts de... euh... » Vous prenez la relève : « En effet, les coûts de location d'équipement... Ils sont plus élevés les

deux premiers mois, puis baissent de manière rapide dès le troisième. »
Vous sauvez ainsi la réputation d'un nouvel allié.

- Terminez habilement l'affirmation, mais en y apportant un nouvel
élément situé dans la continuité des propos émis.

- Évoquez les implications et les conséquences de cette idée.

- Résumez rapidement le pour et le contre de cette idée, puis invitez
la personne à afficher son penchant. Vous transformez ainsi une
hésitation en une importante étape de prise de décision.

10.3.9   Demander un témoignage

Les entrepreneurs et les gestionnaires aiment des exemples et des
témoignages. Il vous suffit de donner le ton en lançant un bref
témoignage de votre vécu et de demander si cet exemple s'applique
aux gens. Plusieurs voudront raconter leur « vécu ». Laissez-les faire
tout en dégageant les quelques mots clés du témoignage qui vont dans
le sens de votre présentation.

10.3.10 Explorer une affirmation déstabilisante

Se contenter de sourire à une bonne réplique est une gaffe majeure
qui risque de rompre le rythme de la personne qui l'a émise. Puisque
vous êtes plus habile que la moyenne, exploitez les propos déstabilisants.

- Utilisez une réplique d'accompagnement incomplète comme : « Et
votre souci vous vient de... ? » La personne visée fournira l'information qui illustre son cheminement et ses critères décisionnels.

- Détournez cette affirmation par un léger, très léger, compliment :
« Eh oui, vous avez repéré là la notion de compensation propor-
tionnelle ; cela nous mène directement au point suivant ! »

- Attirez vers vous l'empathie d'autres personnes du groupe : « Vous mettez l'accent sur la vérification périodique des progrès établis. Les autres sont-ils d'accord avec moi pour que vous précisiez ce point de vue ? »

10.4 Orienter et occuper : la procédure et la promesse

Un joueur qui applique constamment la même tactique pousse les autres à se désintéresser. Un joueur futé recourt à une stratégie souple : il chemine vers son objectif tout en incitant l'autre à dévoiler sa stratégie. La morale de cette histoire est d'une simplicité brutale : pour amener les autres à dire oui, il faut comprendre leur processus décisionnel. Nous découpons ce processus en trois étapes :

- Perception et réception

- Suspicion

- Confrontation et comparaison

Le texte qui suit présente des tactiques susceptibles d'orienter et d'occuper les gens.

10.4.1 L'étape perception et réception

Avant que votre message soit compris, il doit être entendu, vu ou ressenti. Pour être entendu, vu ou ressenti, il doit parvenir aux sens de la personne ou du groupe. Cela vous paraît simpliste ? Détrompez-vous ! Plusieurs tactiques utilisées à cette étape visent davantage les sens que l'intellect.

10.4.2 L'étape suspicion

Vous avez amené un client à oublier ses préoccupations quotidiennes pour vous écouter ; cela n'implique pas nécessairement une complicité. À tout le moins, ce client ou comité s'engage dans un processus relationnel.

Le processus décisionnel d'une personne ou d'un groupe repose en grande partie sur la notion d'engagement. Ce principe a été largement étudié et commenté par des chercheurs spécialistes.

Résumons ici une définition de l'engagement: le «mouvement» graduel des valeurs, des réactions, des pensées et des paroles qu'une personne adopte (consciemment ou inconsciemment) pour justifier son penchant initial.

Acceptez le doute et la suspicion comme l'expression d'un désir de sécurité et de «validation» face à un choix imminent. Plusieurs techniques visent à enclencher le processus d'engagement chez le client qui affiche un doute par rapport à votre offre.

Le doute portant sur votre profil professionnel. Si vous êtes nouvellement arrivé dans le marché ou si vous tentez de pénétrer un nouveau segment de marché, sachez que l'on doutera de vous. Il vous suffit souvent de provoquer ce doute afin de l'orienter. Voici comment.

- Affichez calmement une apparence de «nouveau venu», pour immédiatement la traduire en avantage: «Vous vous demandez comment une femme de mon âge peut gérer ce projet? J'ai consacré près de 6500 heures à des mandats de ce type, et ce, auprès d'entreprises certifiées ISO.»

- Transformez votre jeune âge ou votre inexpérience en miroir dans lequel votre client sceptique se voit: «En fait, j'ai 27 ans. Peut-être l'âge que vous aviez vous-même lors de votre arrivée dans le secteur?» L'interlocuteur se revoit à ses propres débuts. Il enclenche ainsi son processus d'engagement.

Le doute portant sur la capacité ou l'envergure de votre firme. Une personne qui fait porter son doute sur la capacité de votre firme accorde probablement (inconsciemment) une crédibilité à votre personne. Son processus d'engagement est discrètement à l'œuvre. Voici quelques trucs du métier :

- Cumulez l'âge ou l'expérience de vos associés pour démontrer une force collective : « Mon équipe représente plus de 70 ans d'expérience. »

- Ramenez la suspicion sur vous si votre entreprise est jeune, mais que votre expérience est solide : « Mon entreprise est jeune... et j'aimerais parfois être jeune moi aussi, mais il me faudrait renoncer à mes 20 ans d'expérience. Le feriez-vous à ma place ? » L'affirmation se termine par une question afin que soit alimenté le processus d'engagement de l'interlocuteur.

- Situez ce doute en tant qu'élément passager : « En effet, nos trois derniers clients ont commencé avec une remarque similaire avant de nous accorder un contrat ; aimeriez-vous avoir ces références récentes ? »

Le doute portant sur vos méthodes, procédures, technologies, techniques ou outils. Ce type de doute est plus subtil et plus difficile à gérer, en raison de la présence de méthodes et de procédures enracinées chez le client visé. Considérez ce type de doute comme l'expression d'une résistance à un changement pourtant nécessaire. L'application des tactiques ci-dessous sera ainsi plus facile.

- Acceptez la méthode du client en demandant d'où elle provient : « Je constate que vous avez un système décisionnel en quatre étapes. Cette méthode a été mise de l'avant comme solution à quel problème ? » Le client qui répond à cette question vient d'affirmer que sa vieille méthode était à l'époque une innovation, ce qui vous permet de présenter votre offre en termes analogues à l'ancienne situation.

- Présentez votre offre comme une adaptation logique : « Les différences entre les méthodes représentent une occasion de mettre à jour vos procédures en place. »

- Demandez simplement comment les méthodes peuvent être adaptées.

- Réduisez la perception de l'écart entre les procédures : « Nos deux méthodes diffèrent en effet sur deux des sept points, heureusement mineurs. » Un comité qui accepte cette affirmation affiche son engagement sur cinq des sept points.

Le doute portant sur la somme demandée. Cette forme de suspicion est particulièrement difficile pour un présentateur insécure. Si vous avez un doute quant à votre positionnement dans la gamme qualité-prix, votre malaise paraît... croyez-moi ! Les tactiques ci-dessous partent du principe que vous respectez votre grille tarifaire.

- Faites valider votre soumission par un associé ou un ami compétent (et discret !) avant de la soumettre au client.

- Présentez la somme non pas comme une dépense, mais comme un investissement.

- Situez le prix dans le corps d'une phrase pour éviter de le mettre en évidence : « Avec la collaboration de votre service de marketing, nous serons en mesure de transformer votre investissement de 5500 $ en une stratégie de distribution en trois volets, et ce, à temps pour la prochaine période de pointe. » Parions que le client visé donnera son accord parce qu'il a eu une vision d'ensemble et non seulement des chiffres.

10.4.3 L'étape confrontation et comparaison

Un joueur anxieux considère souvent comme une confrontation ce qui est plutôt une volonté de comparaison. Mettez donc votre insécurité de côté et regardez les choses en face.

Confrontation	Comparaison
Mauvaise nouvelle : présomption d'un rapport hostile.	Mauvaise nouvelle : absence de la personne ou de l'entreprise à qui l'on est comparé (la comparaison est-elle juste ?).
Bonne nouvelle : capacité de réaction et d'adaptation « nous ici maintenant ».	Bonne nouvelle : absence de la personne ou de l'entreprise à qui l'on est comparé (la réplique ne peut être entendue par la tierce partie !).

Dans le cas d'une confrontation

- Acceptez le commentaire hostile comme une question digne de confiance afin de neutraliser la charge négative et de maintenir une présence ferme et positive. À un client qui dit carrément douter de vous parce que votre entreprise a été fondée il y a quatre ans seulement, vous pouvez répondre ceci : « En effet ! Et compte tenu que seulement 10 % des entreprises traversent les deux premières années, voyez-vous comment cela nous positionne parmi les meilleures ? »

- Accentuez l'affront. À la même attaque vous pouvez répondre : « En fait, cela fera quatre ans dans trois mois ; nous terminons donc notre troisième année. » Ajoutez un langage non verbal qui témoigne de votre confiance (sourire retenu, très léger hochement de tête, dépôt du stylo sur le bureau, etc.) suivi d'un bref silence.

- Soulignez calmement que l'on vous a néanmoins invité à faire une proposition. Toujours en partant du même exemple, vous pouvez dire : « Sachant que mon entreprise existe depuis quatre ans, vous avez accepté de me rencontrer. Cela augure bien. »

Dans le cas d'une comparaison

- Si l'entreprise à laquelle on vous compare est plus imposante que la vôtre, acceptez la comparaison comme un compliment : « Je constate que vous savez situer le rapport qualité/prix de mon entreprise ! » Fin de la comparaison !

- Tentez d'en savoir davantage. À un comptable qui affirme que deux de vos concurrents ont une grille tarifaire plus souple que la vôtre, répondez en souriant : « Ah oui ? J'accepte de comparer attentivement mes critères et mes standards avec les leurs. »

- Avouez votre malaise par rapport à la comparaison avec un concurrent, mais apportez une comparaison entre votre situation actuelle et votre situation passée. À ce même comptable, vous pouvez avouer : « Je suis plus à l'aise avec une comparaison entre mes performances passées et actuelles, car les données sont plus faciles à évaluer. »

Que ce soit dans le cas d'une confrontation ou d'une comparaison, vous devez créer un mouvement qui amène le client à exposer ses idées, à présenter ses besoins. Le tour de table informel et le mini-débat sont efficaces.

Le tour de table. Personnage réel ou mythique, le roi Arthur aura légué une tradition : la célèbre « table ronde » autour de laquelle presque tout le monde a une importance égale. Après plusieurs siècles, il est temps d'innover : procédez à des « ricochets de table ». En vous inspirant de la blanche au billard qui, en rebondissant sur les rebords arrive à déplacer plusieurs billes de façon aléatoire, faites « rebondir » les réactions dans un désordre apparent (mais dans un but ultérieur précis). Nous vous présentons ci-dessous quelques raisons pour privilégier le « ricochet de table » :

128

Tour de table traditionnel	Ricochet de table
Il est utile lorsque vous êtes assez certain de susciter un appui largement majoritaire.	Il est souvent très productif lorsque vous connaissez bien l'interaction entre les participants et que vous voulez connaître le « penchant » du groupe, mais il est parfois dangereux si vous ignorez le profil des participants.
Comme les participants se succèdent, chacun voit venir son tour, donc prépare son opinion.	Comme la parole est donnée de façon aléatoire, personne ne sait quand son tour arrivera. L'interlocuteur livre donc une opinion plus spontanée et représentative de son état d'esprit.
L'approche est souvent longue, car le tour doit être complet.	L'approche peut être brève ou plus longue et vous donne la possibilité d'arrêter, puis de recommencer sans préavis.
Le tour de table est susceptible d'alimenter des interrelations hiérarchiques pas nécessairement favorables. Par exemple, la personne hésitante appuiera son supérieur.	Le ricochet alimentera presque toujours votre point de vue, puisque vous donnez vous-même la parole à un participant en fonction de son appui ou de son enthousiasme pressentis.
Le tour de table peut parfois provoquer une prise de position définitive dès le début, quand le « penchant » se fait voir trop tôt.	Le ricochet est susceptible d'alimenter et d'accélérer l'interaction positive parmi les participants, mais ce mouvement paraîtra naturel aux yeux de tous.

Le mini-débat. D'un bon mini-débat peuvent jaillir d'excellentes idées, à condition que le présentateur soit habile devant des idées contradictoires et qu'il favorise l'interaction entre ces idées.

Voici quelques trucs susceptibles de faire de vous un émule de Claire Lamarche.

- Attendez qu'un intérêt « pour-contre » se manifeste envers un élément de la présentation.

- Proposez un mini-débat sur ce seul et unique élément.

- Divisez le groupe en équipes qui comptent le même nombre de participants.

- Proposez un nombre limité d'interventions de part et d'autre afin de respecter le temps alloué au débat.

- Demandez que chaque réplique soit constructive (aucune dénonciation).

- Accordez une seule « affirmation-réaction » pour éviter les guerres de tranchées.

- Intervenez auprès de ceux qui s'écartent du sujet.

- Notez les propos en deux colonnes, puis faites le décompte à la fin du mini-débat.

Un conseil : attendez d'avoir développé plusieurs autres techniques avant d'envisager celle-ci. Sa force est grande, mais son équilibre est très précaire.

10.4.4 L'engagement final et l'adoption

Ce n'est pas vous qui vendez, mais les autres qui décident. Vous n'avez pas le dernier mot. Le client ou le comité connaissent ce principe ; ils affichent rarement un accord (« Parfait madame, on appuie votre projet ! »). Ils craignent d'abandonner la dernière chance d'obtenir une ultime concession. Cependant, ils interpréteront votre incapacité de percevoir les signaux d'accord comme une faiblesse professionnelle, ce qui peut rompre le rapport de complicité et de confiance qui était sur le point de mener à un contrat. Examinons comment on peut traduire en actions ces principes fort simples mais très délicats.

Observer tout changement significatif

Le client sait avant vous que le moment de la conclusion est venu, car il a développé au cours des années un processus décisionnel formel ou informel. Sa « décision imminente » est normalement annoncée en premier lieu par le langage non verbal, car ce langage est moins compromettant que l'énoncé verbal.

Indices en situation « un à un »	Indices en situation de groupe
Le regard direct et franc de votre vis-à-vis devient moins direct et parfois distrait.	Certains participants se mettent à regarder dans plusieurs directions.
Sa prise de notes devient sporadique ou son stylo ne sert qu'à tambouriner.	La prise de notes diminue ou certains se mettent à faire de petits dessins ou à faire tambouriner leur stylo.
Son temps de réaction diminue ou accélère de manière significative.	L'interaction parmi les participants devient visiblement plus calme ou plus animée, sans raison particulière.
Il commence à faire de légers et rapides hochements de tête.	Les participants hochent aussi la tête et regardent de plus en plus souvent une personne en particulier ; vous savez donc qui est le décideur.

Au moment de conclure, les gens avec qui vous interagissez tendent aussi à modifier leurs propos de manière subtile mais précise. C'est dans la nature humaine que d'hésiter avant de dire oui. Une fois énoncé, ce petit mot met fin à toute tentative de négociation, élimine la dernière marge de manœuvre et laisse entrevoir que le rapport client/fournisseur est à l'avantage du fournisseur.

Indices en situation « un à un »	Indices en situation de groupe
Une personne qui résiste ouvertement devient plus attentive, celle qui est renfermée et réfractaire se met à parler et celle qui pose des questions se met à faire des affirmations.	Les gens commencent à vous ignorer et à se parler discrètement ou s'ils se parlaient, ils cessent de le faire.
La personne commence à dire « Ça, je le sais » lorsque vous résumez un point.	Des membres du groupe lancent un bref et fier regard à un collègue du genre : « Tu vois, j'avais raison de dire ça l'autre jour ! »

Afin de conclure une rencontre de façon positive, vous devez saisir le principe de « l'engagement » dans la phase finale : le penchant étant amorcé, le client apporte graduellement du poids à son orientation et en vient à énoncer de plus en plus naturellement des éléments de logique qui vont dans le sens de son penchant initial, puis il arrive à une décision logique. Vous n'avez donc pas à déterminer « quand et comment » mettre fin à votre offre, mais plutôt à « saisir et à confirmer » la prise de décision du client. Simplifions à l'extrême ce principe : quand on vous lance une balle et que celle-ci arrive près de vous, vous refermez les mains pour l'attraper.

Confirmer le changement de cap

Comme vous avez saisi la décision de votre client, vous pouvez maintenant le lui confirmer. Plusieurs possibilités vous sont offertes ; utilisez-les de manière isolée ou simultanée, selon votre degré de certitude quant à la décision finale du client.

Devant une personne	Devant un groupe
Votre langage non verbal	*Votre langage non verbal*
• Déposez calmement votre crayon ou tout autre objet qui se trouve entre vos mains.	• Déposez calmement votre crayon ou tout autre objet qui se trouve entre vos mains.

132

- Refermez partiellement votre documentation (gardez une marge de manœuvre !).

- Refermez partiellement votre documentation.

- Reculez très légèrement sur votre chaise.

- Éloignez-vous du podium ou de votre place habituelle de présentation.

- Retournez-vous pour regarder, avec le groupe, un dernier élément audiovisuel.

Vos propos

Vos propos

- Annoncez que vous entamez votre dernier point.

- Annoncez que vous entamez votre dernier point, en haussant un peu le volume de votre voix ; cela permet aux endormis de se réveiller et aux autres de préparer leurs dernières questions.

- Soulignez que vous avez respecté le temps qui vous était alloué.

- Soulignez que vous avez respecté le temps qui vous était alloué.

En recourant à ces tactiques, vous amenez les personnes à prendre une position finale. Souvenez-vous que le mot *business* rime avec *show-business* ; les décideurs apprécient une belle finale où ils se sentent davantage émus qu'informés. De toute façon, l'information a été donnée, faites maintenant place aux émotions qui s'y rattachent.

Récapituler le processus et les accords de principe

Pour récapituler le processus et les accords de principe, vous pouvez utiliser des tactiques similaires, puisque ce moment est facile à gérer, surtout si vous avez bien réussi les étapes qui vous mènent ici.

- Énoncez les étapes et le contenu général de chacune des étapes, en mettant en relief la nature « acceptable » ou « appréciée » des éléments. Le processus l'emporte sur le contenu.

- Revenez sur un élément particulier du processus afin de le clarifier. Par exemple : « Parmi les trois volets, on a bien fait d'insister sur celui de la ponctualité. » Pendant que vous parlez, soulignez certains mots sur votre bloc-notes.

- Soulignez ou encerclez certains mots qui paraissent sur l'écran ou sur le tableau.

- Biffez un à un les éléments inscrits sur votre liste de vérification, qu'elle soit sur papier ou au tableau.

Demander « une dernière précision » portant sur la mise en branle de l'offre

Si vous avez lu de manière intéressée le texte qui précède, vous devriez ressentir une réelle excitation, similaire à celle d'un bon joueur de billard sur le point de faire un bon coup ! Vous pouvez encore demander une dernière précision concernant la mise en branle de votre projet.

Vos propos en situation « un à un »	Vos propos en situation de groupe
Vérifiez s'il reste un dernier élément à ficeler : « À ce stade, est-il utile d'ajouter un dernier élément ? » Le client devrait répondre par un non ou par un silence ; peut-être aura-t-il aussi un petit sourire ou un scintillement des yeux.	Vérifiez, en regardant les personnes les plus influentes, s'il reste un dernier élément à ficeler avant de conclure.
Résumez rapidement les éléments sur lesquels il y a entente : « Je résume : nous voyons en commun [...] ; est-ce que cela brosse un tableau fidèle de la situation ? »	Résumez rapidement les éléments sur lesquels il semble y avoir entente.

Vérifiez un élément technique de mise en branle : « Est-ce que ce serait plus facile de commencer en début de semaine ou à une date précise ? » Le client devrait donner sa préférence affichant ainsi que sa décision est prise !

Vérifiez un élément technique de l'encadrement du contrat : « Qui dans votre entreprise est notre répondant direct pour ce contrat ? » Le chef du groupe devrait nommer la personne, affichant ainsi que sa décision est prise !

Si le client hésite encore à vous donner son appui, vous avez probablement mal planifié votre grande finale. Acceptez de revoir les points « en suspens » et créez un mouvement menant à nouveau à la conclusion. Élégamment, reprenez votre élan. Si vous paraissez mal à l'aise ou semblez nerveux devant un léger repli stratégique, votre interlocuteur en déduira que vous êtes moins solide qu'il ne le croyait.

Puisqu'une erreur à ce stade est toujours grave, vous pouvez vous exercer avec des amis qui ont un peu d'expérience en affaires. Il suffit d'imaginer des objections « cassantes », puis de prévoir des répliques simples et directes. Imaginons des répliques à quelques « ultimes » objections.

Objections	Répliques possibles
« Minute, on n'en est pas encore rendu à choisir la date ! »	« En effet… je veux avoir une idée de vos échéances pour ma planification. »
« Il me semble que vous y allez un peu rapidement… »	« Vous avez indiqué à deux reprises que ce projet était pour vous une priorité. »
« Vous nous demandez si on préfère payer par mensualités ou en deux versements ? Vous pensez donc que tout est dans le sac ? »	« Je veux savoir si je peux octroyer un escompte de 2 %, applicable si vous réglez en deux versements. » Si le client accepte d'en discuter, il est acheteur !
« Vous voulez qu'on signe sans réfléchir ? »	« Je tiens à ce que vous sachiez que les travaux seront entrepris en fin de semaine ; on évitera ainsi de déranger vos clients. »

Occuper le client par une action menant à une acceptation tacite

Un enfant sait comment obtenir l'accord de ses parents pour l'adoption d'un chaton; il utilise la tactique d'encagement dite « du ti-minou » : « Maman, je veux juste que tu le tiennes un peu… il te regarde ! » Les parents ne sont pas dupes; ils trouvent que leur enfant est habile négociateur. Vous pouvez souvent recourir à la tactique du « ti-minou », surtout si l'objectif de votre présentation est de type étapiste. Les exemples ci-dessous vous donnent une idée de la créativité requise à cette étape du processus décisionnel du client.

- Offrez au client ou à un participant de tâter ou de soupeser un outil qui fait partie de la présentation (observez très attentivement qui le prend et à qui il est refilé).

- Offrez une démonstration pour le lendemain. Ainsi, vous maintenez votre élan et assurez une nouvelle présence sur les lieux.

- Pour personnaliser le processus de décision, suggérez que soit nommée sur place la personne en charge de la prochaine étape.

- Offrez de collaborer à la conception ou à l'adaptation de certains critères de décision. Vous affichez alors votre désir d'aider les autres à prendre une décision… et vous influencez le processus.

- Si l'expérience est sans danger et ne risque pas de déraper, offrez au client d'essayer un outil de travail. Vous lui permettez ainsi de s'approprier les émotions et les gestes liés à l'un de vos outils.

- Donnez un « devoir », surtout si la prochaine rencontre est l'avant-dernière d'une série. Suggérez un essai, une recherche de statistiques, etc. Évitez cependant de fournir un sujet de type « analyse comparative », car les résultats vous seront transmis sans que vous puissiez les voir venir !

- Offrez une période d'essai mettant à contribution vous-même ou une personne de votre entreprise. Une première intervention est ainsi menée à terme.

- Invitez votre client à visiter votre entreprise ou un lieu où vous avez mené à bien un contrat. Vous devez tenter d'agir comme guide pour éviter des visites trop peu encadrées.

- Offrez à votre client de rencontrer l'un de vos clients satisfaits. Vous pouvez participer à la rencontre. Cependant, si vous n'y êtes pas, votre client potentiel conclura que vous êtes diablement confiant.

- Offrez de procéder à une analyse particulière, portant sur un élément qui vous a semblé plus difficile à faire passer lors de la présentation. Vous permettez ainsi au client d'obtenir un meilleur éclairage.

- Si le climat de confiance est établi mais que des éléments techniques secondaires doivent encore être réglés, suggérez une entente de principe et non une signature formelle. Vous permettez ainsi au client de « faire son lit », mais remettez à un peu plus tard le moment de s'y glisser avec le partenaire de confiance que vous êtes.

- Offrez de conclure une entente portant sur le premier volet du mandat si vous estimez probable que la majeure partie du contrat ira aux mains d'un concurrent. Cette situation se produit plus souvent qu'on ne le voudrait, surtout quand on tente d'accéder à une clientèle plus prestigieuse. En assumant le premier volet, vous situez votre service comme une introduction. De toute façon, le fournisseur pourrait bien ne pas vouloir effectuer ce travail de préparation considéré comme mineur.

Il n'y a que deux limites à cette liste d'approches engageantes : votre connaissance du processus décisionnel du client et votre imagination !

Occuper le silence

On reconnaît souvent le grand professionnel à sa capacité de persuasion, mais aussi à son extraordinaire calme devant le silence qui précède une grande décision. Le commun des mortels, dont vous ne ferez bientôt plus partie, affiche devant le silence la mine du patient devant un arracheur de dents !

La plupart des présentations ratées le sont parce que vous êtes incapable d'y mettre fin. Une ébéniste vous dira de cesser de cogner sur le clou une fois qu'il est enfoncé !

À ce stade, vous savez reconnaître les signes d'un accord imminent. Le moment de vous taire est donc venu. Parmi les tactiques suivantes, la première est essentielle et les autres sont facultatives !

- Imaginez intensément les étapes de réalisation de votre intervention : dépôt de l'acompte, planification des opérations, choix des outils ou des méthodes de travail, sélection du personnel, etc. Vous affichez ainsi une expression de concentration et de calme ; mieux encore, vous évitez de laisser l'autre vous distraire.

- Déposez calmement tout outil de travail, puis placez vos mains devant vous, l'une sur l'autre. Évitez à tout prix de croiser les doigts ; la pression des doigts croisés rend blanches vos jointures.

- Respirez lentement, mais pas profondément. De grandes respirations ressemblent à des soupirs de douleur !

- Portez un regard lent et confiant sur le groupe, laissant voir un sourire à peine esquissé, puis revenez à votre document ou à la personne qui est en face de vous.

Ces tactiques vous permettent de survivre aisément à un silence de dix secondes, période rarement requise. Notez que la première personne à rompre ce beau moment de tranquillité doit presque toujours faire une concession supplémentaire. Si le client parle, il doit prendre position ; si vous rompez le silence, vous devez concéder un ultime détail… à moins de concéder la partie. Il suffit parfois d'un léger raclement, d'un toussotement !

Ouvrir la porte à la signature

Si votre présentation a été habile et que votre silence a été empreint de confiance, le client est prêt à signer. Voit-il où il doit parapher l'entente ? Forcer un client à deviner l'endroit où il doit apposer sa signature est un péché pour les chrétiens, un crime pour les athées ! Vos chances de conclure avec succès augmentent sensiblement avec le recours aux tactiques suivantes :

- Avancez légèrement le document de présentation s'il requiert une signature. Placez le stylo de manière à ce que la pointe se trouve à l'endroit où signer.

- Reculez légèrement sur votre siège si vous êtes en situation « un à un », en évitant de croiser vos jambes. Cette position peut être interprétée comme un signe de trop grande confiance.

- Si vous êtes devant un groupe, éloignez-vous un peu de votre lutrin.

- Retournez-vous lentement et regardez attentivement l'écran si vous venez de terminer une présentation visuelle.

- Rangez calmement un outil de travail ou de présentation, mais pas tout votre attirail !

- Tendez la main si vous êtes à la fin d'une présentation orale qui ne requiert pas de signature finale. Une impressionnante quantité d'ententes sont confirmées par une poignée de main, surtout dans les milieux relativement fermés où la réputation et la confiance sont au cœur des collaborations. On laisse discrètement à des subalternes le soin de signer.

Féliciter le groupe et partir

Si votre présentation visait un objectif qui requiert une entente formelle, vous devez encore féliciter sincèrement et cordialement les participants.

Deux façons dangereuses de féliciter votre client	
« Merci de nous avoir fait confiance ! »	Vous attirez ainsi toute l'attention et le mérite sur votre personne ou votre entreprise. Vous rompez le moment de gratification du client qui, lui, pense plutôt à ses avantages et à ses objectifs. De plus, vous affirmez ouvertement que vous doutiez de ce choix et vous risquez d'avoir l'air de quelqu'un qui a quémandé une faveur. Les entreprises importantes sont très sensibles à ce genre de détail chez leurs fournisseurs.
« Vous ne regretterez pas votre décision ! »	Cette formulation négative perce la bulle de confiance à la manière d'une scie tronçonneuse. Votre moyenne au bâton est-elle à ce point négative que le client doit se réjouir de vous voir non pas réussir mais simplement éviter l'échec ?

Il y a des manières habiles de dire merci. Souvenez-vous qu'un client désire voir validé son engagement ; il ne désire pas être le spectateur de « votre » victoire. Voici donc quelques exemples de remerciements.

- Félicitez votre client en fonction d'un résultat dont il profitera personnellement : « Félicitations ! Votre charge de travail en aménagement diminue à partir d'aujourd'hui ! »

- Félicitez-le en fonction d'un résultat dont l'entreprise profitera : « Voilà comment on entame une nouvelle saison prometteuse ! »

- Félicitez-le en faisant ressortir le soulagement qu'il doit éprouver : « Eh bien, vous devrez trouver de nouveaux problèmes, parce que celui-ci est réglé ! »

- Félicitez-le en faisant référence à sa participation : « Avec l'encadrement que vous apportez à ce projet, les résultats seront rapidement visibles ! »

- Félicitez-le en faisant référence au processus décisionnel : « Votre approche pratico-pratique m'a grandement impressionné et cela sera un élément majeur de succès ! »

- Félicitez-le en mettant de l'avant une valeur clé de son entreprise : « Votre devise, "Bien réfléchir pour mieux agir", est plus qu'un slogan ; elle s'applique immédiatement ! »

- Félicitez-le avec un mot d'esprit susceptible de mettre en évidence un commentaire qu'il a apporté. Par exemple, un entrepreneur en excavation dit : « Vous vouliez voir mes *critères* de performance ? Maintenant vous allez voir mes *cratères* de production ! »

- Félicitez-le de manière à augmenter son pouvoir : « Eh bien, vous voilà avec un nouveau collaborateur ambitieux ! »

Ces tactiques concrétisent et renforcent le sentiment d'engagement du client. Vous gagnez à utiliser des termes de consolidation, comme *option, prise de position, autorité, mise en branle, engagement, développement*, etc. Le client doit comprendre qu'il s'agit de *sa* décision et non de la vôtre.

10.5   Les particularités de la présentation no-tech

Qu'en est-il de la présentation no-tech ? Il s'agit d'une présentation souvent rapide et simple, fascinante et interactive. On tente de créer un effet important en très peu de temps, souvent dans des conditions jugées impossibles ! Par exemple, un entrepreneur en entretien décide de nettoyer une partie du terrain de l'entreprise industrielle visée plutôt que de présenter son offre dans une salle de rencontre. Il arrive au moment convenu, mais demande au gestionnaire de venir voir son nouvel outil de nivellement que l'un de ses adjoints a déjà mis en marche.

C'est risqué, dites-vous ? C'est presque déloyal, croyez-vous ? On risque de passer pour un amuseur public et non pour un professionnel, craignez-vous ? Trois fois oui. Mais on peut tout aussi bien attirer l'attention du client et rendre « ordinaires » les présentations des concurrents. Fort d'une présentation no-tech, vous pouvez amener le client à prendre une décision rapide en votre faveur, car vous vous serez présenté comme un collaborateur compétent, imaginatif et volontaire, et non comme le trentième soumissionnaire dans une parade.

Dans les secteurs particulièrement compétitifs, vous devez vous mesurer à des centaines de concurrents parmi lesquels se trouvent des professionnels ayant des ressources largement supérieures aux vôtres. Quand vous ne disposez que d'un tire-pois, évitez d'attaquer de front un propriétaire d'usine d'armement ; optez plutôt pour l'imagination à l'état pur.

Dans d'autres contextes, on ne vous accordera pas assez de temps pour procéder à une présentation « dans les règles de l'art ». Dans ce cas, demander plus de temps revient à affirmer ne pas être en mesure de relever le défi. Il arrive qu'on ait un besoin urgent de vos services ; avez-vous en tête des méthodes simples, directes et frappantes d'offrir vos services ? Les anglophones ont une belle expression : « *Opportunity knocks once* » (L'occasion frappe à votre porte une seule fois ; si vous n'ouvrez pas, elle ira frapper ailleurs.)

Les présentations no-tech sont plus populaires qu'on le pense. Leur manque de visibilité tient à quelques facteurs :

• Celui qui l'utilise tente de demeurer très discret de peur de dévoiler sa tactique.

• Le gestionnaire ou l'entrepreneur ayant reçu une offre no-tech devient souvent un ami du professionnel futé et garde le secret.

• La presse spécialisée et les membres « huppés » du secteur ne sont pas portés à vanter des tactiques qui requièrent peu de technologies. Pour ces gens, les offres de service ne peuvent être faites que dans le respect des formules établies.

> Grâce à la présentation no-tech, le processus décisionnel du client peut être « télescopé », si bien qu'il passe presque directement de la perception à la décision, et ce, sans tactique déloyale ni manipulation. Il vous suffit de concentrer en très peu de gestes et de mots l'ensemble de votre présentation.

10.5.1   Un scénario structuré, une interaction intuitive

Contrairement à ce que l'on pourrait croire, une offre de service de type no-tech ne repose pas sur l'improvisation. Procéder à une offre de service de ce type exige un délicat équilibre entre la créativité et l'improvisation.

La partie créativité

Ce premier volet du travail consiste à oublier presque tout ce que vous savez des présentations et à « inventer » des gestes et des propos tout à fait inattendus mais plausibles.

- Oubliez que vous devez faire un exposé rationnel et documenté. Certains gestes sont plus crédibles qu'une suite de paroles.

- Oubliez que vous devez persuader votre client; il l'est peut-être déjà.

- Oubliez que l'engagement (penchant qu'une personne ressent et qu'elle alimente) est un processus linéaire et constant qui exige un certain temps et l'établissement d'une relation interpersonnelle. Un gestionnaire d'expérience qui a développé son flair peut prendre certaines décisions rapidement et sans interaction.

- Inventez des démonstrations innovatrices et frappantes par leur simplicité apparente. Même si elles sont complexes à préparer, elles doivent être simples à présenter.

- Inventez des expressions, des jeux de mots et des dictons susceptibles de créer un lien immédiat entre une action et une idée, entre un geste et un résultat.

- Tenez des rencontres dans des endroits autres que les salles et locaux habituellement associés à des présentations (restaurant, foire commerciale, événement public, etc.).

La partie improvisation

Songez à un joueur de billard qui voit le coup de son vis-à-vis modifier sensiblement l'emplacement des billes sur la table, rendant de ce fait impossible le coup qui lui aurait garanti la victoire. Il arrive qu'un événement de dernière minute modifie de manière significative un scénario soigneusement monté.

Développer ses compétences est la seule façon de développer ses capacités d'improvisation. Le célèbre penseur-communicateur canadien Marshall McLuhan disait : « Toute technologie pleinement maîtrisée devient une forme d'art. »

Le plan

J'ai été mandaté pour concevoir un concept de colloque annuel regroupant une centaine de représentants d'une entreprise internationale. J'ai mis des heures à adapter mon scénario de présentation pour un groupe de gestionnaires provenant de plusieurs pays.

L'imprévu

Cinq minutes avant de faire la présentation, je constate que la documentation est restée au bureau et que personne ne peut me l'acheminer par télécopieur. Un oubli impardonnable, une erreur fatale !

L'improvisation

Ma conviction d'être déjà mort m'aura permis de continuer comme un fantôme que plus rien ne touche. Par ailleurs, ma certitude de connaître à fond les besoins et les contraintes du client, tout comme les moindres détails de mon scénario, m'aura permis d'improviser une présentation réussie en un mouvement, quatre temps.

- J'ai annoncé calmement et simplement que la documentation a volontairement été laissée au bureau : « Messieurs et mesdames, je vous présente le concept sans fla-fla ni artifices. Si l'on ne peut collectivement partager une vision commune de mon projet, mon concept n'est pas viable. » Stupéfaction et attention totale des participants.

- J'ai présenté le concept en paroles et en gestes, en observant la moindre réaction des participants et en acceptant toute réaction spontanée de leur part. J'ai exploité chacune de ces réactions à la fin de ma brève présentation : « Monsieur, vous avez déposé votre crayon, madame vous avez enlevé vos lunettes lorsqu'on a parlé de [...]. » Nouvelle surprise collective : les participants prenaient note de leur expression non verbale d'engagement.

- J'ai fini en demandant à chaque participant de résumer en une phrase l'idée directrice du projet soumis, en précisant qu'il fallait que 80 % des participants partagent une vision commune. Tous ont fourni un résumé étonnamment similaire si bien qu'ils se sont applaudis. Contrat accordé sur place !

- J'ai finalement demandé s'il était nécessaire que je leur fasse parvenir le document de référence. Le président a répondu : « Un résumé suffira ; faut garder l'élan ! »

Un dernier détail : il faut se faire confiance... et faire confiance au client.

10.5.2 Progresser, relancer et occuper, d'un seul coup

La présentation no-tech étant par définition plus organique qu'intellectuelle, on peut presque toujours y télescoper toutes les étapes de la formule PRO. Il vous faudra cependant avoir déjà acquis une très grande confiance en vous, de même qu'une compétence particulière dans votre secteur d'activité et une remarquable capacité d'improvisation en partant d'un scénario souple.

Quand opter pour une approche no-tech ?

Wayne Gretzky expliquait que des hockeyeurs de grand talent arrivent à jouer de manière spectaculaire lorsqu'un ensemble de facteurs se rejoignent pour créer une sorte de vague sur laquelle on se sent bien placé pour recevoir toute cette énergie synchronisée. Examinons des facteurs susceptibles de justifier l'approche no-tech.

- *Le degré d'urgence du client à accorder un contrat de service.* Une PDG qui doit se « virer de bord » dans les jours qui suivent est plus ouverte à des présentations rapides et imaginatives qu'à une présentation longue et lente.

- *Le contexte de développement de l'entreprise visée.* Une équipe de cadres qui vient d'adopter un ambitieux plan de développement saura apprécier une présentation « terrain ».

- *Le nombre et la force des entreprises concurrentes susceptibles d'offrir en même temps que vous leurs services à ce client.* La présence d'une parade de concurrents mène souvent à une surenchère de technologies ; vous pouvez vous démarquer en optant pour une approche diamétralement différente.

- *La performance de l'entreprise.* Une entreprise qui traverse une période difficile ne se prête pas à une présentation spectaculaire.

- *Les changements technologiques ou politiques.* Un tout petit règlement peut impliquer de profondes modifications dans une entreprise ; pensons notamment aux lois et règlements dans le domaine de l'environnement, de la santé et des technologies de pointe.

- *Le temps accordé pour la préparation de l'offre.* Si l'on vous accorde très peu de temps pour préparer votre présentation, mieux vaut y aller avec un impact fort et simple. Une tactique à explorer : demandez très peu de temps pour préparer votre présentation afin d'accélérer le processus d'évaluation et de prendre de vitesse des concurrents notoirement lents à se préparer.

- *Les préjugés négatifs des administrateurs ou gestionnaires visés envers les entreprises offrantes dans le secteur.* Une équipe de direction composée de membres d'une seule corporation professionnelle (ingénieurs, médecins, comptables, etc.) aura probablement une approche plus formelle et linéaire qu'une équipe réunissant des gens de différents domaines (équipe multidisciplinaire incluant des représentants, des employés, etc.).

- *Le degré de satisfaction à l'égard du fournisseur actuel.* On peut comprendre la logique d'une présentation no-tech faite à une entreprise qui a récemment mis fin à un contrat accordé à la suite d'une présentation high-tech.

- *La stabilité de l'équipe de direction.* Les vétérans d'une équipe de gestion bien établie ont probablement développé une capacité d'analyse incorporant à parts égales la raison et le flair.

- *La complexité des procédures d'analyse.* La présentation no-tech convient tout à fait à une entreprise reconnue pour son approche de gestion simple et flexible (équipes de travail autonomes, horaires flexibles, etc.).

- *L'âge et l'expérience des gestionnaires.* Une directrice de 63 ans aura vu assez de présentations dans sa carrière pour évaluer rapidement l'objectif, la stratégie et les tactiques d'un présentateur qui pourtant se croit futé. Mieux vaux ici opter pour une présentation simple et directe, susceptible de véhiculer des valeurs de compétence et de confiance en soi.

Plusieurs éléments entrent en ligne de compte et peu de débutants peuvent percevoir les occasions propices. Si vous êtes jeune, en matière de présentations, les meilleurs moments sont à venir. En affaires, on est souvent plus perspicace et créatif à 60 ans qu'à 20 ans. L'énergie musculaire de nos jambes ne disparaît pas ; elle se transforme en expérience et en intuition pour ensuite se loger dans nos neurones.

10.5.3 Quelques exemples de présentations no-tech

Le contexte subjectif et la nature intuitive d'une présentation no-tech devraient vous inciter à recevoir chacune des pistes suivantes comme des points de départ que vous pourrez adapter.

La démonstration surprise. Un entrepreneur en location d'équipement dans une petite municipalité avait acheté une excavatrice qu'il n'arrivait malheureusement pas à louer. Il s'est rendu avec l'engin redresser la clôture de l'hôtel de ville. Sur place, il a laissé un petit écriteau sur lequel on pouvait lire que ce travail avait été réalisé pour aider le conseil municipal à réduire ses dépenses. Une semaine plus tard, tout le monde avait entendu parler de ce bon coup... et la location de cette petite machine a fait un bond notable.

De son côté, un spécialiste en ergonomie s'est rendu dans un magasin affilié à une importante chaîne et s'est mis spontanément à donner des conseils à des employés qui avaient de la difficulté à déplacer de lourdes boîtes. Surpris, le gérant s'est présenté pour s'enquérir de la situation, et l'ergothérapeute de lui répondre : « Je me rends utile sur le terrain, sans délai et avant même de vous demander de l'argent pour mes services. Alors imaginez ma productivité quand vous me confierez un contrat ! » Il a obtenu un contrat, sans négociation sur le prix !

La démonstration dans un lieu inattendu mais pertinent. Un concepteur d'événements (salons, expositions) a monté un stand dans le stationnement d'une entreprise reconnue innovatrice... le jour où le comité de marketing de ce client potentiel se réunissait pour planifier la participation de l'entreprise à un important salon. Un bon réseau de contacts permet de recourir à ce type de démonstration inattendu par le client visé mais probablement fort apprécié.

De son côté, un intervenant en marketing touristique s'est rendu à une activité publique organisée par une station touristique. Il a saisi sur vidéocassette l'interrelation entre les employés et les visiteurs à leur arrivée. Il a fait un montage vidéo des interactions efficaces, puis a fait don de la vidéocassette aux gestionnaires de la station... à une condition : que ceux-ci acceptent de la regarder avec lui. On l'invita le jour même. Il arriva avec en poche une offre de service pour produire des images vidéo adaptées aux besoins de formation du personnel à l'accueil.

La participation remarquée à des événements. Un ingénieur ayant une spécialisation en automates programmables a participé à un colloque sur le développement industriel d'une ville. Il a été le premier à poser une question à la conférencière de réputation internationale. Cette dernière a répondu avec plaisir à la question pertinente et, à la fin de son allocution, s'est rendue parler à cet ingénieur, qui avait pris la peine de demander à un copain photographe de croquer ce beau moment. L'ingénieur a posté à la conférencière cette photo accompagnée d'une note. Il a reçu un appel de cette dame, qui le remerciait pour la photo, mais qui l'invitait aussi à venir la rencontrer pour parler d'un projet de développement.

Une productrice de cédéroms s'est rendue à un salon avec en main une trousse de «premiers soins informatiques» et des pièces de rechange susceptibles d'être fort utiles à des exposants dotés de fragiles installations informatiques. Une visite des stands majeurs dès la première heure de l'événement lui a permis de dépanner trois exposants qui n'arrivaient pas à faire fonctionner comme prévu leur matériel. Son billet d'entrée lui a été plus profitable qu'un stand coûteux !

L'intervention d'un « contestataire serviable ». Un expert en systèmes de protection de données informatiques s'est rendu dans une entreprise de conception de sites Web et s'est mis à vociférer que son ordinateur avait été « visité » sans permission par des intrus. On lui a présenté rapidement le responsable des systèmes à qui l'entrepreneur a fait une démonstration impressionnante sur les failles d'un site (celui d'un ami entrepreneur), démonstration qui a pris fin avec une démonstration de mesures de sécurité simples qui pouvaient être appliquées sans frais supplémentaires. On lui a offert sur place un contrat d'inspection d'autres sites en construction.

Finalement, une conseillère en prévention de conflits a posté une note de service à l'adjoint du directeur du service des ressources humaines d'une entreprise industrielle. La note de service, imprimée sur du papier à en-tête similaire à celui de l'entreprise visée, présentait une information apparemment « anodine ». Un notagramme y était agrafé et stipulait : « Ce message comporte deux petits oublis susceptibles d'éveiller des soupçons quant à l'objectif du message. Pour savoir lesquels, communiquez avec Mme Unetelle, associée de la firme Unetelle & l'autre inc. » Le destinataire a convenu d'une rencontre avec la conseillère, qui lui a offert ses services au cours d'un déjeuner d'affaires.

Le point commun de toutes ces présentations no-tech est simple à constater, mais difficile à appliquer : on vise à contourner ou à neutraliser les procédures et les critères habituels de réception et de sélection des offres. Cette approche exige beaucoup de confiance en soi et des contacts qui peuvent fournir de l'information sur les déplacements et les occupations des clients pressentis. Les adeptes de cette façon de procéder sont souvent passionnés, compétents et confiants ; ils ont, de plus, une excellente capacité d'interaction dans des circonstances informelles. Vous seriez surpris de savoir combien d'importants contrats sont accordés ailleurs que dans les endroits prévus à cette fin. Bien sûr, une présentation no-tech peut entraîner une offre plus formelle, mais le premier pas a été franchi de manière informelle.

PROclAMER SES COMPÉTENCES
ET SA pERSONNE

Tout homme qui ne se croit pas du génie n'a pas de talent.

EDMOND DE GONCOURT

Nos parents nous aiment, souvent sans condition, parfois sans raison. Il en est autrement des gens d'affaires. Ils s'attendent à faire des affaires avec des professionnels qui savent se présenter avec assurance et avec prestance.

Avant de continuer, il serait bon de relire l'introduction de ce livre ainsi que le chapitre « Se protéger… contre soi-même ». Le vétéran présentateur vous dira qu'il faut être convaincu pour convaincre. Les membres d'un comité « achètent » d'abord votre personne, ensuite vos idées, enfin vos services.

11.1   Se vanter... convenablement!

Commençons par une affirmation, que nous vous invitons à lire à voix haute : « Si ce que je dis est vrai, ce n'est pas exagéré. » Répétez cette phrase à trois reprises, chaque fois en mettant l'accent tonique sur les mots *je, vrai* et *pas*. Sachez vous vanter convenablement, en choisissant les éléments à mettre de l'avant, sans outrepasser les principes de persuasion respectables. Établissez la pertinence des tactiques suivantes.

11.1.1   Présenter d'où l'on vient (vision, cheminement)

Cette méthode est très utile au professionnel dont la jeune carrière est en pleine expansion. Deux mises en garde : il faut obtenir la permission des gens cités en exemple et il faut éviter de mentionner des concurrents directs du client ou du comité visés.

- Illustrez, à l'aide de quelques références précises, le progrès de votre firme depuis ses récents débuts. La courbe de croissance est, pour plusieurs clients, un signe de vision et d'ambition.

- Mentionnez le développement de la clientèle ou du type de contrats réalisés en peu de temps. Le client est susceptible de créer un lien entre votre performance et la confiance que vous accordent d'autres gestionnaires clients.

- Établissez un lien entre le progrès de votre firme et l'entreprise du client. Faites une recherche sur ce sujet ; si vous pouvez établir un lien de développement entre vous et vos interlocuteurs, votre présentation partira du bon pied.

- Pour présenter votre profil personnel, utilisez des mots tirés de votre mission d'entreprise. En créant des liens constants, vous amenez le client à constater votre capacité de développer vos affaires en fonction de buts généraux et de stratégies précises.

11.1.2 Présenter ce que l'on est (statistiques, performance)

Le sportif aime mettre bien en vue ses trophées, pas tant pour impressionner la famille que pour se rappeler l'effort et le dépassement de soi qui lui ont permis d'atteindre des sommets. Le professionnel a aussi ses statistiques et ses marques de reconnaissance ; pourquoi les laisser moisir au fond du tiroir ?

- Présentez le portrait chiffré actuel de votre firme, chiffres et données à l'appui. Par exemple : nombre de nouveaux clients, valeur moyenne des contrats récents, etc.

- Faites le portrait de l'étendue de vos services, de la gamme de nouveaux services ou de la venue de nouveaux collaborateurs, qu'ils soient des employés permanents ou des fournisseurs.

- Mentionnez les prix obtenus ou les mentions honorables. Ce qui impressionne le client, c'est la notion que vous acceptez de vous comparer à des concurrents et que vous acceptez d'être évalué par des gens du secteur.

La phrase qui suit est typique de cette tactique : « Le Méritas régional que ma firme a obtenu le mois dernier décrit bien la valeur de mon équipe et illustre la confiance des quelque 75 nouveaux clients obtenus depuis un an... » Si vous vous sentez embarrassé de souligner que vous avez remporté des prix de reconnaissance, pourquoi diable avoir participé à ces compétitions ?

11.1.3 Présenter ce que l'on « représente » (valeurs)

Plus subtiles que les chiffres et les statistiques, vos valeurs professionnelles ainsi que celles sur lesquelles repose votre entreprise peuvent très bien servir vos besoins de présentation. Pourquoi avoir intégré des valeurs personnelles et professionnelles dans votre plan d'affaires, dans l'énoncé de votre mission d'entreprise et dans votre code de déontologie si vous négligez de vous en servir quand cela compte ? Traduisez en termes simples ces valeurs importantes qui font votre « marque de commerce ». Le professionnel qui travaille dans un secteur hautement volatil (informatique, publicité, etc.) où la stabilité est une denrée rarissime tirera profit de cette tactique.

- Mentionnez clairement les mots clés qui reflètent vos valeurs en tant que soutien à vos services ou à vos activités importantes.

- Créez des liens directs entre certaines de vos valeurs et des réalisations de votre firme.

- Situez l'ensemble de vos actions sur le marché comme des manifestations concrètes de vos valeurs.

- Créez des liens entre les valeurs de votre client et les vôtres.

Cette phrase découle de cette tactique : « Ma firme de conception de sites Web applique depuis plus de trois ans les valeurs d'imagination et de rapprochement entre les entreprises et des publics de plus en plus précis. » Appuyée par de la documentation, cette affirmation peut conférer à votre présentation une force morale impressionnante qui favorisera un élan de complicité interpersonnelle. Vous hésitez à utiliser vos valeurs en tant qu'éléments de persuasion ? Posez-vous la question suivante : Si les valeurs humaines et professionnelles devaient être absentes de toute relation d'affaires, comment les gens arriveraient-ils à établir des liens de confiance ? Enlevez les valeurs humaines de vos présentations, et ces dernières deviendront simplement des colonnes de chiffres et de données.

11.1.4   Présenter les résultats que l'on produit
(effets, conséquences)

À ceux et à celles qui hésitent à utiliser leurs valeurs dans leur présentation, nous suggérons une tactique adjacente : décrire les résultats de vos interventions. Servez-vous de vos clients satisfaits. Une mise en garde s'impose : obtenez leur accord quant à ce que vous pouvez mentionner. Habituellement, les clients satisfaits permettent de faire référence de manière discrète à leur entreprise et à leurs résultats, mais ils se montrent peu enclins à laisser diffuser des données précises. Il vous faudra tricoter serré et tenir parole. Un petit truc : faites approuver votre texte qui contient des références par les clients dont il est question.

- Mentionnez des données techniques évoquant les changements ou les résultats de vos interventions.

- Concevez des graphiques de rendement montrant les répercussions positives de vos travaux chez des clients.

La phrase suivante illustre cette tactique : « Mes interventions en tant que consultant en sécurité ont réduit de 74 % l'incidence d'accidents d'inattention dans une grande entreprise manufacturière en métallurgie certifiée ISO. Je peux fournir le nom du gestionnaire responsable de la santé et sécurité de cette usine. »

11.1.5 Dire avec qui l'on se tient (réseautage)

Si vous estimez irréaliste d'impressionner un client avec vos atouts, vous pouvez vous présenter en faisant référence à des membres de votre réseau de contacts. Cette tactique est fréquemment utilisée par le professionnel débutant ou en phase de croissance rapide dans un nouveau secteur. Votre client devine probablement votre statut de débutant simplement parce que votre nom lui est peu familier ! Il vous suffit de transformer votre apparente faiblesse individuelle en une force collective, et ce, en faisant valoir la force et la compétence de votre réseau d'affaires.

- Mentionnez clairement le nom des associations et des regroupements auxquels vous adhérez, surtout ceux où vous remplissez une fonction de développement ou de gestion.

• Indiquez avec précision et avec confiance le type (ou le nom) d'entreprises qui gravitent activement autour de la vôtre : fournisseurs exclusifs, partenaires, sous-traitants, entreprises collaboratrices, etc.

• Mentionnez sans détour les entreprises pour qui vous réalisez des mandats ou pour qui vous faites de la sous-traitance.

Cette phrase illustre bien la force de cette tactique : « Vous et vos associés pouvez recevoir de ma firme des services en conception et en production de moules pour prototypes de plastique, car nous avons un contrat de collaboration exclusive avec la firme Untel & Untel. »

Trop de professionnels ont tendance à croire que toute collaboration professionnelle est un signe de faiblesse. La force d'un réseau est une chose acceptée par les clients sérieux, qui sont hésitants à accorder un important contrat à une seule personne, si talentueuse soit-elle. Pensez-y : en offrant de réaliser « tout seul » un mandat, vous dites à votre client quelque chose comme : « Je peux tout faire tout seul, à moins qu'il m'arrive un petit pépin... » Votre client conclura, avec raison, qu'une simple grippe peut mettre en péril le projet entier. Mieux vaut faire savoir que si l'on est important, on n'est pas irremplaçable !

11.1.6 Dire pour qui l'on travaille déjà (profil de la clientèle)

« Dis-moi qui sont tes clients et je te dirai qui tu es. » Votre choix de clientèle reflète le genre relations d'affaires que vous cultivez. D'accord, quand on est débutant, il est difficile de choisir ses clients comme le font les vétérans. Ciblez rapidement une clientèle principale, sinon vous risquez de passer pour une girouette.

Mentionner des noms de clients établis est une lame à deux tranchants : vous pouvez « emprunter » de manière très crédible la réputation de ces clients ou vous courez le risque de dévoiler des noms peu ou pas crédibles aux yeux de votre vis-à-vis. Ici comme ailleurs, un peu de recherche préliminaire s'impose.

• Évoquez de manière subtile des noms d'entreprises pour lesquelles vous avez travaillé.

• Faites allusion de manière très discrète à des personnes clés gravitant dans des entreprises clientes. Une mention sous le sceau de la discrétion est plus crédible qu'une mention tonitruante.

Cette phrase s'inspire de cette façon de faire : « Messieurs, notre entreprise dessert une clientèle regroupant des entreprises comme ABC et collabore avec des gestionnaires de l'envergure de Mme Campagna. »

Si vous doutez qu'il soit politiquement correct de mentionner ainsi des noms d'entreprises et de gestionnaires, vous avez le doute facile. Plusieurs de vos clients apprécient ces mentions discrètes, simplement parce que ces liens peuvent être utiles dans leur propre travail de réseautage. Vous serez surpris de constater combien de vos clients acceptent ces mentions. Il suffit de leur demander la permission, puis de vérifier comment vous pouvez utiliser leurs références. Certains clients vous demanderont de « dire bonjour de ma part » à l'un de vos clients potentiels. Pourquoi ? Parce que vos clients actuels qui apprécient votre travail comprennent qu'il est dans leur intérêt de vous aider à rester en affaires.

11.1.7 Faire voir où l'on se dirige
(développement et fidélisation)

Cette technique exige une vision claire, une détermination évidente et une confiance inébranlable. Elle est surtout utilisée par le professionnel qui a établi sa position et sa clientèle. Ce professionnel peut « partager sa vision » avec des membres de comité ou avec des clients susceptibles de reconnaître et de partager des aspects de son ambition. Ici, la moindre hésitation sera perçue comme un faux pas grave. Avant de recourir à cette tactique, posez-vous cette question en trois volets : Ai-je mis au point une vision de développement bien définie, un plan et une stratégie adaptés à l'atteinte de cette vision, une capacité de réplique rapide et précise portant sur les éléments importants de cette vision ? Ensuite, sachez si les gens visés sont susceptibles de partager au moins deux de ces volets.

- D'entrée de jeu, résumez votre vision en une phrase simple et concrète, en soutenant aisément le regard de vos interlocuteurs.

- Situez chaque élément de votre offre en tant que « matérialisation » d'une étape de votre vision de développement.

- Demandez indirectement à certaines personnes si elles perçoivent les liens que vous faites entre votre vision et vos actions pour y arriver.

Cette phrase donne vie à cette tactique : « Je vous offre mes services en tant que consultant juridique pour deux raisons : mon expertise en ce domaine est clairement documentée auprès de plusieurs membres de votre association sectorielle, et surtout parce que mes sept collègues et moi avons un plan de développement stratégique qui vise précisément votre secteur. Nous sommes en mesure de vous soutenir dans vos propres ambitions d'exportation. »

Cette manière de présenter vos services peut être très persuasive, puisqu'elle permet de créer des liens entre une collaboration ponctuelle et une relation à long terme. Elle comporte évidemment une limite : vous ne pouvez parler ainsi qu'après avoir établi un portrait fidèle des ambitions et des stratégies générales de développement du client visé.

11.1.8 Évoquer ce qui arriverait sans votre intervention

Cette approche est utilisée presque exclusivement par les profession-nels aguerris qui ont maîtrisé le concept du paradoxe et acquis des compétences en argumentation. Bref, ces gens ont retiré quelque chose de fort utile de leurs cours de philosophie, soit la façon de retourner sur elle-même la notion de justification. Par exemple, on ne présente pas la valeur de son intervention, mais simplement l'effet découlant d'une non-intervention. De cette manière, on brise la structure de pensée logique traditionnelle et on amène le client à percevoir non pas la solution offerte, mais la persistance ou même l'aggravation du problème. Il s'agit évidemment d'une tactique forte et volatile, à l'image de la nitroglycérine : à petite dose, elle sert de médicament ; à forte dose, elle devient de la dynamite !

Une phrase pour illustrer ces propos : « Messieurs, il ne me semble pas essentiel de recourir immédiatement à nos services d'ingénierie pour résoudre ce petit problème potentiel ; vous pouvez attendre que la situation rende nécessaire notre expertise en ingénierie de procédés. Dans certains cas, le problème se résorbe de lui-même avec l'apport des employés concernés, mais cela n'est pas une garantie... »

Vous aurez compris ici que la tactique sert davantage d'introduction à une seconde tactique, puisqu'il devient souvent impossible de cheminer si le client se sent en sécurité ou s'il ne saisit pas la subtilité de votre argumentation. Attention aussi au niveau de langue : votre client est peut-être moins scolarisé que vous, mais tout aussi intelligent et plus méfiants envers les effets trop subtils !

Par ailleurs, certains clients qui font appel à des comités vivent un processus décisionnel complexe : votre description des conséquences d'une non-intervention ou même d'un délai d'intervention peut donner des munitions à ceux qui veulent vous appuyer, mais qui n'osent pas le faire en public. Ces alliés discrets sauront faire ressortir les dimensions pertinentes de votre présentation. Au billard, on parlerait d'un coup qui rebondit sur trois coussins.

PROjeter des images et des paroles

Agis toujours bien. Tu feras plaisir à quelques-uns et étonneras les autres.

MARK TWAIN

L'humain entretient un drôle de relation avec la technologie, rapport où se mêlent amour et appréhension, désir et dédain, domination et soumission. Nous en sommes venus à modeler nos scénarios de présentation non plus en fonction de nos objectifs ou de nos clients, mais en fonction des technologies et des outils à la mode[1]. C'est souvent une erreur. Examinons brièvement quelques perceptions.

La technologie est un divertissement. C'est la perception de ceux qui croient qu'une présentation est un spectacle. Si vous mettez plus de temps à préparer vos outils qu'à peaufiner vos idées, vous faites partie de ce groupe qui confond les termes *client/membre de comité* et

---

[1] Lisez deux livres, ardus mais très utiles pour comprendre la subtilité de la relation entre l'humain et la technologie ainsi que pour concevoir des scénarios de présentation exceptionnels : *Pour comprendre les médias*, de Marshall McLuhan, et *Ces merveilleux instruments*, de George Freidmann.

spectateur. Vous avez d'excellentes chances de produire de très beaux outils de présentation, au point où ces outils risquent de devenir plus beaux que votre service ou votre projet.

La technologie est une béquille. Ceux qui estiment ne pas pouvoir influencer leurs clients par la force de leur personnalité et l'utilité de leurs services ont cette perception. Si vous adaptez votre présentation presque exclusivement en fonction du chronométrage de votre PowerPoint, vous êtes membre du club des anxieux qui recherchent inconsciemment une sécurité apparente dans la technologie ou dans un scénario très précis. Avez-vous tendance à vous tenir plus près de votre rétroprojecteur que de votre client ? Êtes-vous plus préoccupé par le bon fonctionnement de vos appareils que par les réactions du décideur ? Si oui, tirez votre propre conclusion...

La technologie est une barricade. Ceux qui ont peur de rencontrer des gens face à face perçoivent la technologie comme une barricade. Avez-vous tendance à vous tenir constamment derrière le podium ou à tenir vos documents sur votre poitrine ? Détestez-vous l'improvisation ? Un conseil : cessez de percevoir les gens présents comme des adversaires ! S'ils acceptent de vous rencontrer, ils ont probablement l'esprit ouvert. Vous devez les séduire ou les réconforter, pas les vaincre.

La technologie est un coffre à outils. C'est la perception de ceux qui considèrent les outils pour ce qu'ils sont, soit des instruments de travail à utiliser en fonction d'un projet. Si vous choisissez vos outils et documents en fonction de leur utilité et de leur crédibilité aux yeux des gens visés, vous équilibrez technologie et empathie, séduction et raison, persuasion et conclusion. Vous irez loin.

Il n'existe pas d'outil idéal ; le meilleur outil est celui qui convient le mieux à chaque présentation. Faites votre choix en tenant compte des critères ci-dessous, à condition d'y inclure les adaptations nécessaires à votre situation.

12.1 Quelques outils de base

12.1.1 Le dépliant

Le dépliant donne une information de base à l'aide de texte et d'images. Le vocabulaire doit y être simple et adapté à la clientèle cible, car celle-ci ne fera que parcourir rapidement le dépliant.

Forces et failles. Le dépliant peut présenter de l'information de base sur la mission et les services de la firme, sur le positionnement de l'entreprise, sur les images qui symbolisent ses valeurs. Par contre, on doit prendre un soin jaloux de ne pas y inscrire trop d'information technique ni d'y dresser la liste « complète » des services offerts ; une liste peut impressionner, mais elle peut également laisser entrevoir les limites de votre firme. Conservez votre marge de manœuvre.

Public et objectifs. Le dépliant sert bien les objectifs d'information et de positionnement en raison de la quantité limitée de textes et d'images qu'il peut contenir. Votre client parcourt votre dépliant ; il ne le considère pas comme un rapport technique ni comme un roman. Fournissez votre dépliant en tant que « carte de visite », avant la présentation, à des personnes qui désirent faire une première évaluation de votre offre.

Ce qu'on peut y mettre et ce qu'on doit omettre. Faites en sorte que votre dépliant présente le positionnement et les valeurs principales de votre entreprise. Utilisez des images illustrant les services offerts et la clientèle visée. À moins d'avoir un bureau permanent, évitez de mettre l'accent sur votre « adresse », car un déménagement peut rendre obsolète un dépliant qui autrement pourrait vivre longtemps. Évitez de présenter une liste détaillée de vos services, car cela peut susciter deux problèmes : le client visé peut douter que votre firme puisse offrir autant de services tout en se disant « spécialisée » et un concurrent peut facilement se servir de votre belle liste pour alimenter sa stratégie de concurrence.

Le moment d'utilisation. Utilisez le dépliant surtout au moment d'un premier contact menant à une rencontre et au cours du suivi à un appel. Donner son dépliant au moment d'une rencontre officielle risque de faire paraître trop petite votre firme ou trop modeste votre personne !

Quelques trucs. Prévoyez une proportion images-texte de l'ordre de 60 % – 40 %. Utilisez du vocabulaire que l'ensemble des clients visés comprendra. Une image et un slogan frappants, plutôt que votre nom et votre logo, devraient composer le premier volet de votre dépliant. Incluez si possible des images représentatives du type de clientèle que vous visez particulièrement.

12.1.2   Le portfolio

Le portfolio peut contenir quantité d'images et de données. Outre l'information que l'on peut imprimer sur les couvertures externes et internes, on peut y ajouter des volets permanents ou temporaires.

Forces et failles. Le portfolio (souvent nommé « kit de presse ») sert habituellement de soutien à une présentation ainsi que de référence documentaire. Bref, il agit en tant qu'adjoint virtuel, offrant des précisions en temps opportun. Trop de présentateurs font la gaffe de vouloir « remplir » les volets et les replis de leur portfolio, croyant qu'il doit contenir un maximum d'information.

Public et objectifs. Un portfolio sert surtout des objectifs de crédibilité et de développement auprès d'un public qui se prête à une analyse. En faisant rapidement référence à des annexes ou à des textes techniques de votre portfolio, vous pouvez maintenir l'intérêt de votre client et orienter son évaluation.

Ce qu'on peut y mettre et ce qu'on doit omettre. Intégrez dans votre portfolio les documents clés d'intérêt public : bref historique de la firme, survol des membres de votre équipe, résumé de vos compétences principales, etc. Vous pouvez aussi y ajouter des documents pertinents par rapport à une offre. Cependant, évitez de charger votre portfolio, car le client peut se laisser distraire par les nombreux documents, ce qui peut rompre le rythme de votre présentation. Ici encore, votre client pourrait utiliser des données « trop complètes » pour alimenter un concurrent déjà proche de son entreprise. Souvenez-vous que certains clients peuvent vous demander de faire une offre seulement pour alimenter une firme amie.

Le moment d'utilisation. Exploitez cet outil surtout aux deuxième et troisième étapes de votre présentation (répondre et relancer ; orienter et occuper). Le présenter au début peut inciter le client à déclarer y trouver tout ce dont il a besoin... et à vous renvoyer !

Quelques trucs. Assurez une continuité visuelle entre tous les éléments ajoutés au portfolio. Maintenez un rapport images-texte de l'ordre de 25 % – 75 %. Utilisez des titres accrocheurs qui ont un esprit de continuité. Évitez d'utiliser des superlatifs (toujours suspects) et surveillez la quantité d'adjectifs (parfois suspects). Laissez le client ouvrir le portfolio.

12.1.3 La démonstration

Moyen ancestral, la démonstration est toujours utile, car elle donne vie à des services abstraits, comme des services juridiques, des avis, etc. Souvent répudiée par l'amateur de haute technologie, elle demeure un excellent outil d'interaction.

Forces et failles. La démonstration attire souvent l'attention de l'auditoire et peut susciter des réactions spontanées. Si elle est imaginative et bien menée, elle peut éveiller l'intérêt du client et orienter sa perception. Cependant, si elle est ordinaire ou complexe et mal gérée, elle peut anéantir vos chances de succès. De plus, si elle prend plus que quelques minutes et qu'elle ne permet aucune interaction, elle perd son élan.

Public et objectifs. La démonstration est souvent liée à des objectifs d'information et de transaction. En présentant de manière émotive de l'information rationnelle, elle constitue un outil adapté à des comités d'évaluation, à des clients qui désirent comprendre ou comparer des services. Elle convient aussi à ceux qui sont de nature curieuse ou qui travaillent dans un secteur où les nouveautés sont fréquentes. Cependant, il faut éviter de faire une démonstration à des clients qui connaissent bien les services qu'offre votre secteur d'activité.

Ce qu'on peut y mettre et ce qu'on doit omettre. La démonstration doit contenir assez peu d'information (quelques chiffres, quelques mots clés), mais bon nombre d'indications et de gestes susceptibles de maintenir l'attention de l'auditoire. Cependant, évitez d'y faire valoir des éléments très techniques, comme les étapes de perfectionnement de vos services, des références aux efforts mis à perfectionner la démonstration, etc. Évitez aussi la démonstration qui exige des conditions ou une installation particulières (ventilation, sécurité électrique, insonorisation, etc.), car vous passeriez pour un amateur.

Le moment d'utilisation. De par sa nature spectaculaire, elle est très souvent utilisée aux première et dernière étapes de présentation (percer et progresser ; orienter et occuper).

Quelques trucs. Imaginez que votre démonstration est une scène de cinéma muet pour vous aider à mettre l'accent sur le mouvement, sur les gestes et sur les centres d'intérêt. Afin d'attirer l'attention des gens sur un aspect précis de votre offre, faites valoir un ou deux points d'intérêt et non une suite d'éléments divers. Reliez en paroles les éléments de la démonstration et les éléments importants de votre offre. Évidemment, procédez à au moins une demi-douzaine d'essais avant de réaliser une démonstration devant un client. Prévoyez aussi des propos susceptibles de réduire l'impact d'une faille dans votre présentation ; votre manière de traverser une situation délicate en dit long sur vos compétences professionnelles et sur votre attitude personnelle... et peut faire oublier une malencontreuse erreur.

12.1.4 La maquette

Peu de gens peuvent demeurer impassibles devant une maquette de qualité qui évoque l'émerveillement (comment font-ils ?), le respect (quelle structure !) et l'admiration (c'est donc beau !). Certaines firmes produisent une version miniature de leur maquette et la laissent au client en tant que rappel ou référence, surtout dans le contexte d'une offre qui implique plusieurs rencontres ou de nombreux concurrents.

Forces et failles. Une maquette attire l'attention, suscite des commentaires et permet de donner vie à des services. Simple ou complexe, elle doit toujours résister à l'usage et être facile à assembler en tout lieu. Elle peut servir de point de départ ou de référence lors d'une démonstration, surtout si vos services ne peuvent pas être « démontrés » grandeur nature (architecture, design paysager, etc.). Cependant, si la maquette brise, elle peut aussi provoquer un bris de confiance. De plus, présenter une maquette peu impressionnante peut être interprété comme un manque de professionnalisme.

Public et objectifs. La nature spectaculaire et le potentiel interactif d'une maquette en font un bon outil de soutien pour les objectifs de types relationnel et étapiste. Le gestionnaire d'entreprise industrielle, qui a l'habitude des mécanismes, aime particulièrement les maquettes, surtout celles qui ont des pièces mobiles. Il en va de même du gestionnaire qui aime « donner vie » à des concepts et à des services.

Ce qu'on peut y mettre et ce qu'on doit omettre. Donnez à la maquette une fonction démonstrative principale, de manière à pouvoir l'utiliser non pas comme divertissement, mais comme un outil pour attirer l'attention sur un aspect important de vos services. Évitez d'inscrire du texte ou de tracer des flèches indicatives sur une maquette ; ces précisions rationnelles peuvent briser l'impact visuel et la crédibilité même de la maquette.

Le moment d'utilisation. On gagne à utiliser la maquette au cours de la première étape de présentation (percer et progresser).

Quelques trucs. Tentez d'incorporer un mouvement ou un mécanisme articulé à la maquette. Invitez le client à faire un essai. Ayez en tout temps une maquette de rechange pour pallier les risques de bris. Gardez le suspense : dissimulez la maquette avec un voile ou dans une boîte jusqu'au moment opportun.

12.2 Les outils high-tech

Les outils modernes et performants, de plus en plus assujettis aux technologies de l'information, offrent une puissance de communication sans commune mesure avec les technologies traditionnelles. C'est là le défi majeur des outils high-tech : allier la quantité, la forme et le rythme des données à transmettre. Par définition, les équations à plusieurs variables sont ardues à formuler même pour les experts... et difficiles à comprendre par le commun des clients. Quitte à offusquer votre fournisseur de services technologiques, utilisez avec une certaine retenue les outils high-tech ; leur impact est tel que le client risque d'être séduit non pas par votre offre de service ou par votre compétence, mais par la technologie elle-même. Une limite est commune à presque toutes les techniques ultramodernes : leur utilisation risque souvent de rompre l'interaction entre vous et votre client. Un comité qui « regarde la télé » dans un endroit sombre risque d'oublier votre présence. Ne troquez pas votre statut de professionnel pour celui de projectionniste. Presque toutes les technologies futuristes ont une autre limite : elles n'offrent que peu de possibilités au présentateur d'intervenir spontanément. S'il veut faire des ajouts, il doit utiliser le logiciel, ce qui exige soit un assistant vif et habile ou un temps d'arrêt susceptible de rompre le rythme de la présentation.

12.2.1 Le projecteur informatique

Ce type de démonstration permet de capter l'attention de l'auditoire grâce à la diffusion d'images et de sons d'une grande qualité se rapprochant des effets spéciaux du cinéma. Toutefois, il faut prendre garde que le « spectacle » ne devienne une fin en soi, distrayant ainsi vos acheteurs potentiels de la raison d'être de la démonstration...

Titre sans effet psychologique et centré su soi (et non le client)
Fond en dégradé qui obscurcit certains mots («Notre»...).
Design complexe et obscur (lignes, pointillés, boules).
Trop de polices (lettres) différentes.
Trop de texte (impossible à percevoir et à lire rapidement).
Erreurs de rédaction («Confiance»).
Image de fond distrayante lourde (difficile à photocopier ou à faxer).

Titre accrocheur centré sur les besoins du client
Peu ou pas de fond en dégradé (meilleure lisibilité).
Design plus simple et solide.
Recours à deux polices de base (plus teintes et italiques).
Texte réduit à l'essentiel (lecture précise et rapide).
Absence d'erreurs typographiques.
Image de fond pour reheusser l'impact des mots clés.

Forces et failles. Le projecteur alimenté par un puissant ordinateur peut diffuser des images et des sons d'une grande qualité. Il peut aussi réunir en même temps des dizaines de formes et de formules visuelles se rapprochant des effets spéciaux que l'on voit au cinéma. Mieux encore, on peut contrôler à distance le rythme des images, en fonction de notre rythme de présentation. Cependant, la puissance même de ces outils incite trop de présentateurs à surcharger l'écran et à submerger le client avec des effets spéciaux et des renvois électroniques constants. Le client n'est pas nécessairement un fanatique d'informatique ni un amoureux de bidules. Le multimédia doit illustrer et rehausser vos services. Trop de techniciens en informatique l'oublient.

Public et objectifs. Cette technologie est bien adaptée au client qui est assisté par des techniciens, qui a par rapport à votre offre des objectifs d'analyse et d'évaluation. Des vétérans déconseillent ces supports pour des objectifs de type transaction, car l'écart est très grand entre le spectacle et la signature du contrat. Cependant, d'autres disent que ces présentations peuvent créer un élan psychologique permettant de procéder à des signatures « pendant que la tête et le cœur sont réunis » ; cette variante est peut-être liée à des présentations faites à des clients pressés !

Ce qu'on peut y mettre et ce qu'on doit omettre. Les défis ici sont assez similaires à ceux du bon vieux rétroprojecteur. Accordez une place prépondérante mais pas constante au texte, de manière à éviter le danger du « spectacle distrayant ». Décrivez les liens entre les idées, les chiffres et les mots. Ajoutez quelques images ayant comme fonction de reposer le regard, comme des images thématiques sans texte ni effet particulier : elles permettent un moment de réflexion. Évitez cependant d'inclure des graphiques complexes ; ces embouteillages de lignes, de couleurs et de chiffres sont quasi illisibles et agacent immédiatement le spectateur. Il faut présenter en même temps ou sur une même image tout au plus cinq éléments, textes et images confondus. Évitez les comparaisons avec des entreprises ou avec des services concurrents, puisque le client est susceptible de confondre les données. Plutôt, verbalisez avec finesse quelques comparaisons sur un ou deux points.

Le moment d'utilisation. La nature spectaculaire de cet outil suggère d'y recourir surtout à la première étape (percer et progresser). L'attrait d'un écran bien rempli et bien animé peut créer un intérêt et un premier mouvement qui facilitent votre prise de parole et l'interaction directe entre vous et votre client.

Quelques trucs. Prévoyez une phrase et un geste clés susceptibles de créer un lien frappant entre la fin du « cinéma » et votre prise en mains des opérations (le scénario PowerPoint doit être soigneusement préparé pour permettre la continuité !). Préparez des questions relatives au contenu de la projection. Limitez la présentation à quelques minutes tout au plus pour éviter deux dangers : une surcharge d'information et une lassitude psychologique. Si les besoins de présentation dépassent quelques minutes, prévoyez deux ou même trois volets de présentation, entrecoupés de périodes de discussion, de démonstrations ou d'évaluation. Maintenez toujours suffisamment d'éclairage pour permettre la prise de notes.

12.2.2 La démonstration virtuelle

Cette forme de démonstration est habituellement réalisée à partir de logiciels interactifs qui permettent à une personne d'éprouver une perception artificielle mais parfois très réaliste d'un élément perçu comme tridimensionnel. Ces logiciels sont très puissants, mais tout aussi lourds et complexes.

Forces et failles. Une démonstration virtuelle permet au client de « voir et de ressentir » le service dans un environnement perçu comme réel. Mieux encore, elle offre à ce client la possibilité de tracer son propre chemin parmi l'information, les images et les mouvements. La cerise sur le « sundae » : aspiré dans un environnement contrôlé, le client peut se promener où il veut, mais dans votre monde, dans les limites de votre scénario à multiples embranchements. Par contre, cette extraordinaire expérience sensorielle technologique peut facilement se substituer au contenu de votre message. Le risque de dérapage est proportionnel à la puissance de votre technologie.

Public et objectifs. Le client susceptible de ne pas déraper est celui qui a l'habitude de la haute technologie et qui connaît ses besoins et ses contraintes. Cette technologie peut soutenir votre présentation en raison de sa capacité à maintenir l'attention des gens sur un message fort qui touche simultanément plusieurs sens.

Ce qu'on peut y mettre et ce qu'on doit omettre. Inscrivez des images ayant de nombreux mouvements. Limitez le déplacement des titres et des textes afin de donner le temps à votre auditoire de les lire.

Le moment d'utilisation. En raison de la nature spectaculaire de la présentation virtuelle, on recommande de s'en servir surtout aux première et dernière étapes (percer et progresser ; orienter et occuper). Dans le premier cas, on établit un sentiment de grandeur et d'importance ; dans le second, on relance l'intérêt du client juste avant qu'il procède à la signature d'une entente. La durée d'une présentation à la première étape peut être de quelques minutes ; à la dernière étape, elle gagne à durer moins d'une minute.

Les suggestions ci-dessous s'appliquent autant à la technologie informatique qu'à la vidéo.

Quelques trucs. Limitez à cinq le nombre d'éléments importants sur chaque séquence-image. Utilisez avec retenue les textes en majuscules, plus difficiles à lire. Calculez le temps de présentation d'un texte à au moins trois fois le temps que prend sa lecture. Par exemple, accordez neuf secondes pour un texte qui se lit en trois secondes. Instituez un code de couleur pour les titres et les textes de manière à faire voir la priorité des éléments. Évitez les arrière-plans complexes, qui rendent souvent la lecture impossible, de même que les effets multiples sur les lettres (ombrage, contour, etc.), qui rendent presque toujours le texte illisible. Conservez en tout temps un contraste suffisant entre le texte et les images de fond ; un graphiste vous conseillera sur cet aspect crucial de toute présentation visuelle. Utilisez judicieusement et occasionnellement des effets sonores, en évitant de créer des impacts sonores trop brutaux. Conservez un rapport image et son de l'ordre de deux pour un, de manière à ce qu'une présentation audiovisuelle de quatre minutes contienne une narration ne dépassant pas les deux minutes.

12.2.3   La vidéo promotionnelle

Cet outil s'apparente au projecteur informatique, mais il est moins complexe et plus souple.

Forces et failles. Cet outil comporte, à quelques détails près, les mêmes forces et limites que les présentations virtuelles. La vidéo promotionnelle offre l'avantage de ne pas déstabiliser le client peu habitué à la haute technologie. Elle exige peu de matériel sophistiqué, ce qui rend la vie plus facile à ceux qui ont peu de temps pour s'installer.

Public et objectifs. Les mêmes que pour la présentation à l'aide du projecteur informatique.

Ce qu'on peut y mettre et ce qu'on doit omettre. Les mêmes éléments que pour la projection informatique, sauf ce petit détail : la vidéo permet de procéder assez facilement à des démonstrations et de fournir des explications visuelles rapides et précises (montage d'images et de sons), avec la possibilité de faire des pauses en tout temps, entre autres en fonction de la réaction de l'auditoire.

Le moment d'utilisation. Le même que pour la présentation informatique.

Quelques trucs. Eh oui, les mêmes que pour la présentation informatique !

12.2.4 Le multimédia « origine centrale, diffusion dédiée »

À partir d'un ordinateur central, on peut acheminer une présentation visuelle sur l'écran de chaque participant muni d'un ordinateur.

Forces et failles. Le multimédia « origine centrale, diffusion dédiée » offre des attraits notables, mais instables. Le message diffusé directement sur l'écran de chaque participant permet d'augmenter la perception de proximité de l'information. De plus, la technologie de diffusion est rendue à ce point sophistiquée que les messages diffusés sur chaque écran permettent des « clics » donnant accès à de l'information supplémentaire ou permettant des retours d'information instantanés. Vous pouvez inclure un « bouton clic » invitant les participants à indiquer leur appréciation, leur penchant ou leur niveau d'acceptation de votre offre, et ce, sans recours à un tour de table ni à un vote à main levée où l'influence au sein du groupe peut faire pencher la balance. Songez à l'impact quand vous annoncez, à la fin de la présentation multimédia, le penchant favorable des participants ! L'envers de la médaille tient essentiellement à deux dangers : le risque de défaillance technologique (le matériel est fragile et le temps d'installation peut être très long) et le risque de « débordement ». En effet, certains insistent pour interagir à chaque élément de la présentation !

Public et objectifs. Malgré les frais et les risques inhérents à ce type de présentation, sa force persuasive peut être très grande. Si vous utilisez une fonction de vote, vous gagnez à réserver le multimédia à la dernière étape de votre offre (orienter et occuper).

Ce qu'on peut y mettre et ce qu'on doit omettre. Incluez de l'information variée, mais conservez en tout temps la « table des matières » de la présentation à la vue des participants. Respectez les consignes et les trucs déjà mentionnés pour la présentation vidéo et la projection informatique.

Permettez à la personne qui visionne la présentation d'utiliser soit la souris ou une touche pour intervenir ou pour répondre ; la touche est souvent plus rapide et facile à utiliser que le clic !

Le moment d'utilisation. On l'a dit : à la dernière étape, orienter et occuper.

Quelques trucs. Multipliez les tests en raison des bogues qui survivent souvent aux vérifications de base ; un seul bogue et toute votre présentation peut s'écrouler. De plus, accordez aux participants une fois et demie plus de temps qu'il n'en faudrait.

12.3 Les outils low-tech

Répondez rapidement oui ou non aux affirmations suivantes.

	Oui	Non
Le tableau à feuilles mobiles est encore un outil crédible et efficace.	☐	☐
Le tableau est un outil trop professoral.	☐	☐
La documentation photocopiée et agrafée est d'une autre époque.	☐	☐

Si vous avez besoin de faire valider vos réponses, songez à céder votre place à d'autres présentateurs confiants et fonceurs. Sur le plan personnel, trop de professionnels sont gênés d'assumer leur âge, au plaisir (et au profit) des colporteurs de « formules jeunesse ». Il en va de même pour certains outils de présentation. Sur le plan professionnel, plusieurs d'entre nous sont mal à l'aise de recourir à des outils traditionnels. Pourtant, un bon menuisier apprécie autant son marteau que sa scie électrique.

12.3.1   Le rétroprojecteur

Le rétroprojecteur et les transparents semblent avoir perdu de leur intérêt chez les adeptes de la haute technologie ; cela ne réduit pas pour autant leur efficacité.

Forces et failles. La facilité d'utilisation du rétroprojecteur permet une très grande marge de manœuvre, comme changer l'ordre initial de la présentation, montrer des parties ou la totalité d'une image, etc. Le rétroprojecteur permet aussi d'inscrire « en personne et en direct » des ajouts aux transparents, ce que ne permet pas la majorité des outils informatiques. De plus, on a tendance à accentuer le caractère ancien de l'outil en utilisant des transparents d'une pauvreté graphique navrante, comme la reproduction de toute une page de texte, d'images sommaires, etc. La limite du rétroprojecteur est dans la tête de ceux qui l'utilisent sans créativité.

Public et objectifs. Le rétroprojecteur peut paraître « vieux jeu » aux yeux d'un public féru de haute technologie. La nature traditionnelle et familière de cet outil en fait un bon moyen pour atteindre les objectifs des deuxième et troisième étapes (répondre et relancer ; orienter et occuper). Si vous utilisez des transparents, le client sera plus à l'aise d'interagir que si vous projetiez une vidéo ou une présentation high-tech.

Ce qu'on peut y mettre et ce qu'on doit omettre. Les commentaires présentés pour le projecteur informatique s'appliquent ici aussi. À ces suggestions s'ajoute la possibilité d'utiliser des transparents chargés d'information. Mieux encore, on peut photocopier presque sur-le-champ un transparent enrichi de données provenant du client.

Le moment d'utilisation. Le rétroprojecteur convient bien aux deuxième et troisième étapes de votre présentation.

Quelques trucs. Utilisez des transparents qui se superposent. Ainsi, des strates d'information s'ajoutent sur une image ou sur un texte de base. Utilisez des transparents teintés pour donner vie à vos données. En cours de présentation, ajoutez régulièrement des lignes et des mots à la suite des commentaires de votre client. Quelle mine d'information vous amassez pour assurer le suivi de votre présentation !

12.3.2 Le tableau à feuilles mobiles

Tout comme le tableau noir, le tableau à feuilles mobiles a encore sa place dans une présentation.

Forces et failles. Ces grandes feuilles sur chevalet permettent d'inscrire « en direct et en temps réel » certains mots clés qui accompagnent votre présentation ou qui rehaussent le commentaire d'un client dans un groupe. De plus, elles attirent le regard de tous les participants sur un seul point proche de vous. Mieux encore, ce tableau vous donne d'excellentes occasions de vous déplacer et de faire des gestes amples susceptibles de relancer l'intérêt des participants. Malheureusement, il affiche clairement la qualité, bonne ou mauvaise, de votre graphie ainsi que vos erreurs d'orthographe.

Public et objectifs. Le public le plus respectueux de cet outil est composé de clients qui apprécient les économies et pour qui la consultation et l'interaction sont des éléments importants dans un processus décisionnel. Vous aurez ainsi compris que l'on utilise souvent le tableau de feuilles mobiles pour atteindre des objectifs de type analyse et développement.

Ce qu'on peut y mettre et ce qu'on doit omettre. Inscrivez des mots clés et des graphiques très simples dessinés rapidement à la main. Évitez d'y inclure des colonnes de chiffres ou des longues phrases, car le temps que vous prenez pour écrire peut rompre le rythme de votre présentation.

Le moment d'utilisation. Cet outil convient très bien à la deuxième étape (répondre et relancer) et il est souvent utile à la troisième étape (orienter et occuper).

Quelques trucs. Prévoyez quelques pages de texte partiellement remplies que vous compléterez sur place. Développez une capacité à dessiner quelques éléments visuels, comme des visages, des formes géométriques en trois dimensions, etc. Demandez parfois à une personne du groupe d'écrire elle-même quelques mots de son cru. Recourez au traditionnel « jeu du pendu » pour amener les participants à deviner les lettres d'un mot clé ; ce bref moment de complicité est presque toujours très bien accepté, même par des comités sérieux.

12.4 Les outils et les stratégies no-tech

Les outils énumérés ci-dessous risquent de vous surprendre, d'éveiller le scepticisme, de soulever le doute quant au bien-fondé de certaines stratégies mises de l'avant. Forts de cette mise en garde, nous pouvons aborder des outils de présentation à la fois créatifs et incongrus liés aux présentations qui sortent du cadre habituel et dont on entend peu parler dans les médias et dans les livres. Avouons clairement qu'une connaissance rigoureuse de notre domaine est une nécessité vitale; admettons en même temps qu'une compétence en matière de stratégies et de tactiques constitue un atout de taille.

Un principe de base : Aucune loi ne nous interdit d'ignorer ou de transgresser les « règles de l'art » en matière de présentation.
Un corollaire de ce principe : L'absence de technologie peut souvent avoir un effet plus persuasif que le recours à des outils technologiques souvent distrayants.
Un conseil : On gagne à avoir davantage confiance en soi qu'en ses outils.

Les tactiques et les outils suivants étant hors normes, nous les présentons sans explication détaillée, mais nous avons l'assurance qu'ils ont été utilisés avec succès auprès d'entreprises d'envergure provinciale, nationale et internationale. Essayez de voir comment les idées et les pistes de développement s'appliquent à votre cas. Et souvenez-vous que des présentations « soigneusement cinglées » ont souvent devancé celles qui ont fait appel à la technologie.

12.4.1 La présentation « ricochet »

Pourquoi bûcher afin de fixer un rendez-vous quand on peut prendre les devants et réaliser un « mini-événement » très intrigant ? Cette stratégie consiste à faire une démonstration de vos services non pas aux personnes directement concernées, mais à leurs subalternes ou à leurs collègues. On cherche donc à influencer ceux et celles qui, à leur tour, influencent la personne visée. Au billard, on dirait « par la bande ». Quelques exemples parlent d'eux-mêmes.

Un ergothérapeute se présente et prodigue des conseils à la réceptionniste d'une entreprise en pleine expansion, allant jusqu'à lui prêter une chaise ergonomique. Dans les semaines suivantes, la direction de l'entreprise demande à ce consultant de présenter une offre de service.

Un paysagiste, de passage devant une usine nouvellement construite, arrête et plante discrètement trois arbustes sur lesquels il laisse pendre sa carte de visite et un petit mot : « Moi aussi, j'aime la croissance ! » Les gestionnaires, surpris de ce lien inattendu entre les affaires et les plantes, l'invitent à une rencontre d'affaires.

12.4.2 L'objet quotidien devenu symbolique

Certains objets de la vie courante peuvent prendre une forte valeur symbolique, au point où ils peuvent servir de fil conducteur à l'ensemble d'une présentation. Ici, on vise à créer un « monde virtuel » par la seule force de l'imagination des personnes sur place. Il faut avoir développé sa créativité, surtout en ce qui a trait aux liens inhabituels entre les objets et les symboles. Quelques exemples évoquent bien cette stratégie.

Un conférencier aborde la thématique de la santé et sécurité en usine en présentant à un comité d'évaluation un ciseau de sculpteur. Pour parler de son sujet, il fait référence à des actions et à du matériel liés à l'outil et à la sculpture (série de gestes, risque constant, trancher la question, couper court, etc.). Le client accepte sur place et sans réserve les services de ce conférencier qui sait établir des liens entre les idées et les actions... et qui sait très bien que les blessures par lame sont fréquentes en entreprise.

Un consultant en motivation et esprit d'équipe offre ses services à un comité d'une importante firme de courtage. Il dépose sur la table avec sérieux une paire de souliers de course d'enfant, puis il établit des liens entre ces mignons petits souliers et la mission de l'entreprise, ses objectifs de développement et quelques principes majeurs du travail en équipe. Les gestionnaires acceptent rapidement l'offre, surtout que leur entreprise est le commanditaire majeur d'un marathon visant à recueillir des fonds pour les maladies infantiles, ce que le consultant avait découvert en faisant une recherche dans le site Web de la firme.

12.4.3   La démonstration surprise sur le terrain

Le vétéran qui se remémore ses plus grands exploits mentionne habituellement ses présentations improvisées dans des endroits où le hasard lui avait fait croiser un important client. Voici quelques exemples :

Une graphiste voit une publicité maladroite de l'entreprise d'un important leader d'opinion, si bien qu'elle lui transmet un conseil ainsi qu'un croquis. Le leader d'opinion invite aussitôt la graphiste à un déjeuner d'affaires, ce qui lui a permis de présenter, le mois suivant, une offre de service à un regroupement de gestionnaires.

Une dessinatrice technique repère le restaurant préféré des employés d'une grande firme d'architectes, puis y prend elle-même souvent ses repas, en laissant voir sur sa table un outil de travail très performant ou une publication récente. Des employés de la firme remarquent ses outils innovateurs et entament une discussion avec elle. Dans les mois qui suivent, elle décroche trois contrats de sous-traitance, et le restaurant devient le lieu principal de rencontre.

12.4.4   Les mots et l'imagerie mentale

De tous les outils que nous avons à notre portée, celui que nous utilisons le moins (ou le moins bien) est le vocabulaire... oui, les mots.

Notre cerveau emmagasine des milliers de mots. Pourtant, nous nous contentons d'en utiliser quelques centaines. Nous demandons à notre client d'être attentif, pour ensuite lui prouver notre paresse intellectuelle !

Voici quelques conseils pour développer votre vocabulaire, surtout en ce qui a trait à des variantes et à des précisions terminologiques.

- Apprenez à enfiler au moins trois adjectifs synonymes susceptibles de donner un éclairage particulier à un mot clé : « Des services *précis, spécifiques, pointus, ajustés* » ou « J'accepte de *discuter, de palabrer, d'interagir, d'examiner...* » ou « Je perçois votre *hésitation*, votre *préoccupation*, votre *souci* », etc. À un jeune collègue visiblement dépourvu de vocabulaire, un vieux routier reconnu pour son dédain des gants blancs disait : « Si tu penses *slaque*, tu parles *lousse* ! » Traduction de Boileau : « Ce qui se conçoit bien s'énonce clairement et les mots pour le dire viennent aisément. »

- Appuyez vos propos de dictons, de proverbes et de citations provenant de plusieurs sources. Un truc du métier : compilez des citations de gens ayant influencé l'évolution du secteur d'activité de vos clients.

- Concevez des jeux de mots et des formules verbales imagées susceptibles de créer un esprit de continuité dans l'ensemble de vos propos de présentation.

- Conservez à portée de la main un dictionnaire de synonymes.

- Écoutez attentivement les monologues de Marc Favreau (Sol) pour découvrir le fantastique pouvoir d'évocation de ses « sérieux » jeux de mots. Cet homme est un architecte des mots, un innovateur grammatical, un artiste de la persuasion intelligente. Il est aussi la personnification ultime d'une présentation no-tech.

PROblèmes à surmonter ?

Accepter l'idée d'une défaite, c'est être vaincu.

MARÉCHAL FLOCH

S ans que vous présumiez de la mauvaise foi de votre adversaire au billard, il arrive que les circonstances vous jouent de mauvais tours. Il est inutile de vous en prendre à ceux qui ont la capacité et l'occasion de vous barrer la route. Avant de poursuivre votre lecture, assurez-vous d'avoir développé une attitude positive en toute circonstance, une capacité d'agir et une créativité à toute épreuve !

13.1   On vous fait un « enterrement de première classe » ?

Il arrive qu'une invitation à faire une présentation fasse ressortir une erreur de perception initiale. Au fil de votre démonstration, vos hôtes se rendent compte que votre projet ou vos services ne correspondent pas du tout à leurs attentes. Cela arrive lorsque votre entreprise a le vent dans les voiles et que vous faites plusieurs présentations dans de nouveaux segments du marché. Les gens sur place ont le choix : ils peuvent avouer avoir mal défini leurs critères, ou ils peuvent « enterrer » votre projet avec dignité et respect.

Les signes annonciateurs

- On prend peu ou pas de notes, on touche à peine à votre documentation.

- On détourne les yeux.

- On glisse un regard furtif à sa montre, vers une porte ou une fenêtre.

- Tous demeurent silencieux quand vous demandez s'il y a des questions.

Les tactiques à utiliser

- Acceptez la situation afin d'obtenir une « obligation morale » à long terme.

- Maintenez le rythme et le ton de votre présentation. Si vous changez de style en cours de route, vous ferez voir votre nervosité.

- Prenez vous-même de très brèves notes pendant votre présentation.

- Répétez certains mots clés de votre propos, en soulignant leur importance.

- Énoncez, ouvertement et avec calme, que vous percevez « l'obligation administrative » du client à recevoir votre présentation ou que vous acceptez d'avance qu'elle ne correspond peut-être pas à leurs attentes.

Vous gagnez à considérer la situation sous l'angle de la «redevance morale». Un client vous impose parfois à contrecœur une bastonnade afin de respecter une obligation de recevoir trois soumissions. Votre capacité d'assumer cette situation délicate en dit long sur votre confiance en vous et sur votre vision de ce qu'est la négociation de redevances morales.

13.2 On vous utilise comme faire-valoir pour un concurrent déjà gagnant ?

Dans les célèbres duos de comiques, l'un a besoin de l'autre pour faire valoir le «punch». On est en droit d'admirer Laurel et Hardy ainsi que La Poune et Juliette Huot pour leurs merveilleux numéros, mais on se méfie de quelques tandems de politiciens hostiles qui alimentent mutuellement leur antagonisme. La morale de cette histoire est qu'il vaut mieux, à long terme, être complices qu'adversaires.

Les signes annonciateurs

- La documentation du concurrent est restée sur la table ou est mal dissimulée sous une pile de documents.

- On consulte des notes dans une seule colonne d'une feuille séparée en colonnes.

- On touche occasionnellement un document ou une feuille à part.

- On se trompe sur votre nom ou sur celui de votre firme, mentionnant le nom d'un concurrent reconnu pour ses tactiques énergiques et même déloyales.

Les tactiques à utiliser

- Acceptez la présence d'un concurrent et suggérez une comparaison afin de pouvoir établir vos propres critères de comparaison.

- S'il y a erreur sur la personne, maintenez le ton et le style de votre présentation en souriant légèrement.

- Parlez, très brièvement et en termes polis, de la firme ou de la personne pour qui on vous a pris. Prenez soin de préciser que son expertise est différente de la vôtre.

- Si la personne ou la firme est imposante et prestigieuse, remerciez votre interlocuteur d'avoir vu en vous le même degré d'expertise... et continuez !

- Dites que vous êtes enchanté de cette « promotion » et qu'il s'agit simplement d'inverser les noms dans l'analyse de votre proposition.

13.3   On vous fait passer en tandem ou en rafale ?

Être deux autour d'une table de billard à vouloir en même temps faire rentrer la noire est une situation délicate. Inviter deux concurrents à faire en tandem une présentation constitue une tactique de plus en plus fréquente dans les comités ou dans les entreprises modernes. Mieux vaut éviter des réflexes d'hostilité ou de soumission.

Les signes annonciateurs

- Vous remarquez dans le stationnement l'auto d'un concurrent ou percevez un adversaire dans la salle d'attente.

- On vous invite en même temps qu'une autre personne à entrer dans une salle.

- Tous vous observent entrer dans la salle, sauf une personne (le concurrent !).

- Quelqu'un semble déjà occuper le siège du présentateur.

- Deux microphones ou deux chaises se trouvent côte à côte.

Les tactiques à utiliser

• Considérez la présence du concurrent comme une occasion de faire des comparaisons polies qui vous avantagent. Ne le traitez *jamais* comme un adversaire ou un ennemi !

• Dites bonjour au concurrent ; cela vous positionne comme un bon joueur d'équipe et un as de l'entregent.

• Soulignez rapidement le sérieux de la démarche du client : « En procédant à une présentation double, vous serez doublement attentifs à ce qui se déroulera ! »

• Offrez à votre concurrent de faire la première présentation, en invoquant des raisons évidentes : il est arrivé avant vous, son entreprise est plus grande, etc. En étant deuxième, vous paraissez très confiant et respectueux, vous prenez note des arguments du concurrent. Vous êtes celui « comptera le but gagnant » de la partie...

• Terminez avec un compliment lié au professionnalisme du client, comme : « Le fait d'avoir procédé à une présentation comparative sur place souligne le sérieux de votre démarche... et je suis honoré de figurer parmi vos finalistes. » Ce faisant, vous rehaussez les attentes du client.

13.4 On vous invite fortement à vous comparer à d'autres ?

Vous n'accepteriez pas plus de jouer au billard contre un fantôme que de vous comparer avec un concurrent absent ou virtuel. Toute comparaison vous écarte de votre sujet. Ne vous battez pas contre des ombres.

Les signes annonciateurs

- La documentation des concurrents est à la vue.

- On se trompe « involontairement » de nom en s'adressant à vous.

- En vous comparant à un autre, on se montre « trop » élogieux à votre égard.

- On mentionne le slogan d'un concurrent pendant que l'on vous parle.

- On porte un bref jugement sur l'un de vos concurrents, lequel est accompagné d'un regard complice.

- On vous demande de vous mesurer à un concurrent, le tout accompagné d'un langage non verbal comme le regard au-dessus des lunettes.

- On avoue hésiter entre vous et un concurrent.

- On vous demande poliment qui est votre principal concurrent.

Les tactiques à utiliser

- Déclinez l'invitation, mais, si la comparaison potentielle était susceptible de vous être favorable, acceptez le compliment implicite dans cette invitation.

- Souriez si la comparaison implique une firme ayant une grande expertise, sans répondre. Le client conclura que vous vous considérez de même qualité.

- Faites comme si vous n'aviez pas compris l'invitation et ne réagissez pas.

- Remerciez le client d'avoir ainsi établi une parité de compétence entre vous et un concurrent solide. Par exemple : « Je note avec plaisir que vous considérez cette entreprise et la mienne comme des firmes ayant une compétence assez similaire. »

- Afin d'avoir une meilleure idée des critères de sélection du client, demandez-lui de préciser l'élément majeur de comparaison : « Ah bon ! Et sur quel aspect principal estimez-vous que, pour ce contrat particulier, nos entreprises sont similaires ? »

- Esquivez la demande de manière polie et humoristique en tournant la tête vers le côté en disant quelque chose comme : « Ah, je laisse la parole au représentant de cette firme... » Cette tactique indique clairement que vous ne jugez pas les absents.

- Déviez l'invitation en procédant à une comparaison entre votre propre performance antérieure et actuelle. Une notaire à qui l'on demande de se comparer à une grande étude concurrente sourit et dit : « La seule comparaison que je peux présenter avec certitude est le progrès que j'ai réalisé entre l'an dernier et cette année. Cela représente une augmentation de 23 % du chiffres d'affaires accompagnée d'une fidélité de clientèle qui frôle les 93 %. »

- Demandez s'il y a un seul autre concurrent en lice.

- Affirmez que vous vous intéressez davantage à servir vos clients qu'à vous mesurer à vos concurrents.

13.5 On vous fait des commentaires négatifs à propos de concurrents ?

Un joueur de billard qui s'intéresse davantage à des partenaires absents qu'à ceux qui sont présents est un mauvais joueur. Accepter d'écouter un commentaire négatif portant sur un concurrent est pire que d'en émettre un.

Les signes annonciateurs

- On porte un petit commentaire négatif, mais incomplet ou général sur un concurrent.

- On fait un jeu de mots douteux sur le dos du concurrent.

- On vous adresse un compliment comportant une comparaison ou un jugement qui font mal paraître le concurrent.

- On vous demande ouvertement de répondre à un jugement brutal énoncé envers un concurrent.

Les tactiques à utiliser

- Avec une retenue évidente et un brin d'humour, esquivez l'invitation à surenchérir tout en revenant sur le sujet de votre présentation.

- Interrompez votre interlocuteur avec une réplique humoristique : « Je crois que ses avocats sont plus gros que les miens ! » ou « Je veux éviter de réveiller ses avocats ! »

- Avouez une maladie sélective sur le sujet : « Je suis certain d'avoir entendu ce nom, mais je ne peux pas le situer en ce moment... »

- Accordez à ce concurrent son droit de réplique : « Je suis certain que cette personne peut répondre pour elle-même. »

- Feignez de ne pas avoir entendu : « J'étais distrait ; pouvez-vous répéter si nécessaire ? »

- Demeurez neutre et affichez un silence de trois secondes. Cette tactique est très forte, mais elle exige une grande confiance en vous.

13.6   On vous reproche d'avoir jadis travaillé chez un concurrent ?

Un bon joueur de billard se fait parfois reprocher d'avoir emprunté des trucs de ses « professeurs ». Un client peut avoir appris que vous étiez jadis un employé ou un associé d'une firme à laquelle vous faites maintenant concurrence dans le même marché. Si vous avez quitté votre « ex » en respectant la clause de non-concurrence temporaire, vous avez les coudées franches.

Les signes annonciateurs

- On vous reçoit en se trompant de nom d'entreprise.

- On pose une question hésitante portant sur vos antécédents, par exemple : « Il me semble que je vous ai déjà vu chez, euh… Veuillez vous asseoir. »

- On vous demande tout de go pour qui vous travailliez avant de lancer votre firme. C'est un bel exemple de question polie, énoncée par un inquisiteur sanguinaire !

- On dépose sur la table la documentation de votre ex-employeur.

- On sort votre carte professionnelle aux couleurs de votre ancien employeur.

- On vous demande pourquoi vous avez changé d'entreprise ou fondé votre firme.

Les tactiques à utiliser

- Traduisez ce besoin de savoir comme une question respectable et situez votre réponse en termes encore plus respectueux. Vous visez ici à présenter une « rupture » comme un « point de renouveau ».

- Félicitez le client de sa mémoire : « Il faut croire que je vous avais impressionné ; vous vous souvenez de moi après deux ans ! » Augmentez la force de cette référence en sortant une carte professionnelle ou un dépliant de votre ancien port d'attache. Il vous suffit d'ajouter : « Eh oui, et j'en garde un excellent souvenir ! » Vous affichez ainsi une excellente relation avec votre « ex ».

- Fournissez une raison simple qui a motivé votre départ. Une gestionnaire en ressources humaines peut affirmer en toute confiance : « La majorité des clients de la firme d'ingénierie pour laquelle je travaillais éprouvaient de la difficulté à gérer les équipes de travail liées à nos projets ; j'ai décelé ce besoin connexe que la firme d'ingénierie ne pouvait pas combler. Tout le monde profite de mon initiative. »

- Présentez votre cheminement comme le résultat d'un positionnement très précis dans le marché : « Mes 15 ans d'expérience chez Untel m'ont permis de développer une spécialisation qui débordait le champ d'activité de cette entreprise. »

- Expliquez en mots simples que vous conservez un excellent rapport avec l'entreprise de jadis : « Ah, vous connaissez Aline ! J'ai justement déjeuné avec elle la semaine dernière, car elle demeure une bonne amie. Je vise à devenir sous-traitante dans son champ d'expertise. » Vous faites ainsi disparaître toute crainte.

13.7   On met en doute votre crédibilité ?

L'entrepreneur débutant et le représentant d'une nouvelle entreprise vivent un problème de crédibilité. Cette contrariété est probablement la plus difficile à affronter, non pas en raison de la gravité du doute mais plutôt des réactions émotives. À crier trop fort que vous êtes calme, vous prouvez le contraire.

Les signes annonciateurs

- On adopte des expressions de scepticisme, comme un haussement exagéré des sourcils, un mouvement brusque de la tête, des doigts qui frottent le menton, etc.

- On regarde en alternance rapide votre visage et votre documentation.

- On souligne ou encercle avec insistance quelques mots dans votre documentation.

- De brefs regards passent de vous à quelqu'un d'autre.

- Les silences comme les regards sont trop longs et neutres.

Les tactiques à utiliser

- Recevez la perception et demandez quelques critères précis de jugement afin d'amener les gens à passer du préjugé au jugement.

- Maintenez le ton et le rythme de votre présentation.

- Retournez, en souriant, un regard identique à la personne qui vous toise.

- Considérez le doute comme un cheminement naturel et positif. Par exemple, vous pouvez dire : « Je vois que vous voulez en savoir plus long sur mon expertise particulière en […] et ça me fait plaisir d'aborder cet élément avec vous. »

- Utilisez la technique du paradoxe comme levier devant une personne qui se montre suspicieuse. Par exemple : « Monsieur Bélisle, je vous félicite d'attirer l'attention des gens sur le volet "Analyse préalable" de mon offre ; cela souligne bien votre souci de planification ! »

- Recevez l'expression du doute comme une preuve de profession-nalisme. Par exemple : « Je ne demande pas votre confiance ; je vais la mériter, tout comme vous qui avez mérité votre position dans l'entreprise. »

13.8   On vous demande des preuves exagérées ?

Certains clients, surtout en comité, ambitionnent et exigent des preuves sans lien avec la nature de votre offre de service. C'est comme si l'on vous demandait de montrer votre permis de piloter un F-18 avant de vous confier une auto de location.

Les signes annonciateurs

- Trop de phrases commencent par « Oui, mais... ».

- On se frotte trop souvent et trop lentement le menton ou le côté du nez.

- On griffonne des points d'interrogation sur les documents que vous distribuez.

- On vous demande, indirectement ou directement, des « critères » de référence, même sur des points évidents.

Les tactiques à utiliser

- Considérez cette forme de doute comme l'expression de désirs et d'attentes.

- Recevez une demande avec intérêt : « Je déduis que vous voulez clarifier, et réduire si possible, les frais de suivi administratif ? » Le client est incité à dire oui, ce qui permet de revoir cet élément de manière active et non défensive.

- Demandez la permission de prendre plus de temps que prévu pour répondre à ces demandes. Par exemple : « Je suis d'accord pour examiner cet aspect ; m'accordez-vous *tous* une demi-heure pour traiter des six éléments en question ? »

- Donnez une réponse enthousiaste et entière à la demande, avec en prime une foule de termes techniques complexes. Surveillez attentivement l'expression sur le visage de votre inquisiteur. S'il sourit, continuez ; s'il se montre étonné ou confus, mettez fin à votre savant exposé en invitant votre inquisiteur à vous relancer si le besoin se fait de nouveau sentir.

13.9   On vous pose à répétition des questions complexes ?

Un joueur de billard vétéran vous dira que l'objectif d'un coup est double : atteindre son but et surtout positionner la blanche pour rendre impossible le prochain coup de son adversaire !

Les signes annonciateurs

- On se frotte le nez ou la joue juste avant de vous poser une question.

- On vous pose une question en vous avisant qu'elle sera brève.

- On regarde ses collègues après vous avoir posé une question interminable.

- Pour faire savant, on vous pose une question avec une feuille de papier ou un crayon en main.

- On sourit trop largement après vous avoir posé la question.

Les tactiques à utiliser

- Évitez à tout prix de donner du poids à cette diversion fatale en vulgarisant la question ou en la reformulant à votre avantage.

- Souriez en écoutant la question et balayez du regard les autres participants, pour évaluer la crédibilité de la personne qui vous interpelle.

- Déposez votre crayon ou tout autre outil de travail.

- Reformulez la question en termes simples et concrets. Par exemple, on vous demande : « Comment établirez-vous un lien causal direct entre votre hypothèse et les résultats qui en découlent ? » Vous répliquez en termes directs : « Ah, vous voulez savoir comment on va faire pour savoir si le conseil est bon ? Alors, voici les trois points à surveiller… »

- Félicitez la personne pour sa question et répondez-y en termes clairs et brefs. Pour l'exemple ci-dessus, vous pourriez répondre : « Excellente question ; dans les faits, on utilise trois éléments techniques… » Toc et retoc !

13.10 On laisse entrer un retardataire ?

Ce type de problème est particulièrement déstabilisant, car les deux premières réactions sont de recommencer ou de s'excuser de ne pas pouvoir recommencer. À cela s'ajoute la tentation de constamment regarder le retardataire pour vérifier s'il « rattrape » le groupe. De toute façon, votre rythme est rompu.

Les signes annonciateurs

- Le bruit de pas rapides qui ralentissent juste devant la porte, que l'on tente d'ailleurs d'ouvrir en toute discrétion.

- L'ensemble du groupe jette un regard embarrassé ou surpris en direction de la porte.

Les tactiques à utiliser

- Accueillez ce retardataire de manière à lui enlever tout sentiment de gêne. Vous en ferez ainsi un allié fidèle pendant tout le reste de la présentation.

- Invitez-le à prendre place avec amabilité : « Merci de vous être libéré pour vous joindre à nous ! » Faites-lui parvenir la documentation.

- Informez-le de l'endroit exact où vous êtes rendu dans votre présentation et précisez que son point de vue sera bien reçu.

13.11 On vous demande une concession majeure ?

Certains comités ont tendance à confondre une présentation avec une séance de négociation. Un participant peut vous mettre des bâtons dans les roues en demandant une adaptation qui déstabilise votre présentation. Évitez d'en prendre ombrage ; c'est souvent un signe de vif intérêt ou de contraintes internes.

Les signes annonciateurs

- On fonce trop rapidement sur un élément particulier de votre offre, que ce soit le prix, le délai, un critère de performance, une modalité de réalisation, etc.

- On vous demande, de plusieurs manières, la même concession, sans égard à sa répercussion sur le contenu général de votre offre.

- On vous demande une concession qui porte sur un point déjà vu.

- On adopte des expressions de complicité malsaine, comme un large sourire sans le dévoilement des dents avec la tête légèrement penchée à droite ou à gauche.

• On fait des petits gestes avec les mains.

Les tactiques à utiliser

• Recevez la demande de concession comme un indice de l'intérêt du client et comme une volonté de progresser vers une entente.

• Félicitez la personne qui exprime cette demande et considérez cette dernière comme un jalon important de l'entente : « Est-ce que nous sommes déjà rendus à régler les derniers détails de notre entente ? » Votre interlocuteur voudra presque certainement revenir sur la base de l'offre, ne serait-ce que pour gagner du temps et conserver sa marge de manœuvre.

• Si la demande est faite vers la fin de votre présentation, créez un lien direct et incontournable entre une concession et le rapport qualité/prix : « Voulez-vous connaître l'impact de cette concession sur le projet ? »

13.12 On vous demande, sans ménagement, de baisser votre prix ?

On vous proposera souvent de baisser le coût ou le prix de votre projet ou de vos services. Vous êtes en situation de présentation, pas de négociation. Si vous acceptez de confondre les deux, vous démontrez une méconnaissance de la dynamique d'une présentation. Inscrivez-vous tout de suite à un cours de négociation ou lisez ce qui suit – c'est plus rapide !

Le syndrome de Stockholm

Le syndrome de Stockholm est apparu dans les années 1970, période fertile en enlèvements politiques ou idéologiques. Un otage dont la vie est menacée développe la seule stratégie qui semble lui offrir une chance de survie : adopter de manière évidente l'idéologie de ses ravisseurs. L'otage devient graduellement un sympathisant, puis un adepte apparent de la cause de ses ravisseurs. Il en arrive à proférer des propos et à commettre des actions tout à fait contradictoires à son caractère et à ses valeurs.

Trop de présentateurs vivent le syndrome de Stockholm. Prisonniers de la crainte que leur prix mettra en colère leur client, ils en viennent à initier des compromis et des rabais !

Faites ce petit test pour voir si vous souffrez du syndrome de Stockholm dès qu'il est question de prix.

	Oui	Non
1. Je suis plus à l'aise de parler de délais, de méthodes et d'actions que de prix.	❏	❏
2. Le prix est le premier facteur de succès ou d'échec d'une présentation.	❏	❏
3. Je fixe des prix ou des tarifs plus élevés pour pouvoir mieux négocier.	❏	❏
4. Je parle d'argent le plus tard possible pour augmenter mes chances de succès.	❏	❏
5. Je suis un professionnel, un entrepreneur… pas un comptable !	❏	❏

Si vous avez répondu oui à une seule de ces affirmations, vous souffrez peut-être déjà du syndrome de Stockholm. Un habile présentateur aborde avec la même confiance chaque élément de sa présentation, qu'il s'agisse du prix, des critères de qualité, du design, des procédures, etc. Si seul le prix vous rend nerveux, c'est que vous croyez qu'il causera votre mort. Pourtant, tout entrepreneur d'expérience vous dira que ce sont souvent des facteurs autres que le prix qui causent le rejet d'une offre.

Les signes annonciateurs

- Trop de questions d'éclaircissement portent sur le montant ou sur le paiement.

- On note des chiffres plutôt que des mots.

- Une calculatrice est bien en vue sur la table.

- Le langage non verbal de participants est plus accentué chaque fois que vous abordez les chiffres liés au tarif ou à la somme.

Les tactiques à utiliser

- Acceptez de parler d'une réduction qui porterait sur divers éléments de l'offre ou situez la réduction comme le dernier pas menant à une entente finale.

- Souriez avec calme et dites : « Excellent ! On parle déjà finances ; cela signifie-t-il que tous les autres points sont acceptés ? » Le client doit accepter ce merveilleux progrès s'il veut parler d'argent !

- Demandez si l'on est sur le point de signer une entente formelle : « Cela veut-il dire qu'on est si proches d'une entente finale ? »

- Faites porter l'attention sur un autre élément du contrat : « Vous voulez économiser de l'argent... ou du temps ? »

- Affichez la nécessité d'augmenter le facteur risque si vous concédez une baisse de prix excessive. Par exemple, un ingénieur peut dire : « Pour que je puisse réduire mon prix de 15 %, il faudrait que vous acceptiez d'augmenter le risque d'affaissement du terrain. »

- Demandez le pourquoi de cette demande de concession exagérée. Par exemple : « Vous voulez une réduction de 20 % ? Pourquoi pas de 18 % ou de 25 % ? » Vous évitez ainsi de défendre votre prix, mais vous demandez au client de justifier sa demande.

13.13 On vous demande d'écourter votre présentation ?

Abandonneriez-vous une partie de billard sans raison valable ? Certains clients peuvent invoquer une « urgence » ou un « accord de principe » pour vous demander de conclure rapidement. Évitez d'accepter par insécurité (« J'ai leur confiance ! ») ou par orgueil (« J'ai déjà gagné ! »).

Les signes annonciateurs

- On regarde l'heure rapidement sans le faire discrètement.

- On joue avec son crayon, surtout dans un mouvement de balancier ou de pendule (certains gestes sont intemporels ou presque !).

- On feuillette rapidement et à répétition les pages encore à voir de votre document.

- On vous demande où vous en êtes rendu dans votre présentation, même s'il vous reste encore la moitié du temps accordé.

Les tactiques à utiliser

- Découvrez d'abord pourquoi on veut écourter votre présentation et continuez, à moins bien sûr que la raison vous semble raisonnable et que le client accepte de confirmer sur place le lieu et la date d'une autre rencontre.

- Demandez poliment et clairement la raison majeure de l'abrègement que vous pressentez : « Je constate que vous désirez bien occuper le temps qu'on a libéré ; quel élément de mon offre voulez-vous examiner en particulier à ce stade ? » Un client respectable sera amené à préciser son centre d'intérêt. Vous gagnez donc à ce jeu !

• Évitez à tout prix d'évoquer ou de suggérer une raison acceptable, car le client sautera sur l'occasion. Si vous dites « Je constate que vous avez peut-être peu de temps à m'offrir en cette période de pointe », le client sourira en répondant : « En effet, je vois que vous comprenez... »

• Rappelez le temps qu'il vous reste : « Dans les 15 minutes qui restent de la période que vous m'aviez accordée, examinons vos besoins en matière de [...]. » Vous dirigez ainsi le client vers un élément clé de votre présentation.

Ces façons de faire ont en commun le reflet de votre confiance et de votre désir d'occuper le temps convenu. Vous ne creusez pas une tranchée face à un ennemi de longue date ; vous occupez sereinement le temps prévu. Mieux encore, vous incitez le client à prendre ses responsabilités.

Certes, il arrive qu'un client vous demande d'abréger votre présentation pour de bonnes raisons qu'il accepte de vous fournir. Si cette situation se produit :

• Vous en apprenez davantage sur les contraintes et sur les attentes de votre client.

• Vous augmentez votre image de professionnalisme en situations délicates si vous acceptez de finir plus tard, si vous « donnez un devoir à faire » à votre client.

• Vous pouvez proposer de finir rapidement, fort d'un scénario de rechange.

13.14 On remet à plus tard, sans préavis, toute votre présentation ou une partie de celle-ci ?

La remise de la date d'une présentation est la déception suprême. Imaginez qu'un intermédiaire vous avise, quelques heures ou quelques minutes avant le début de votre présentation, que la rencontre doit être déplacée à une date ultérieure. Vous avez mis deux jours et 800 $ pour préparer cette présentation importante. Votre marge de manœuvre semble nulle ? Non.

Les signes annonciateurs

- Une personne qui vous semble très mal à l'aise s'avance vers vous et son regard passe plusieurs fois de sa montre à votre visage.

- On affiche un langage non verbal empreint d'embarras (haussement d'épaules, regard vers le bas, tête un peu renfoncée, etc.).

- On demeure assis, immobile et le visage sans expression.

Les tactiques à utiliser

- Tentez de rester en piste ou négociez une nouvelle rencontre « de deuxième niveau » susceptible de vous faire avancer davantage.

13.14.1 Si vous estimez opportun de rester en piste

- Posez une question qui vous permettra de savoir si un certain temps peut tout de même vous être accordé. Demandez poliment et en souriant : « De combien de temps disposons-nous aujourd'hui même ? » Si un certain temps vous est donné, dites aussitôt : « Parfait, nous avons juste le temps de procéder comme prévu ! »

- Au moment de faire cette présentation forcément écourtée, demandez lequel parmi les éléments à examiner est le plus important et continuez en mettant un accent particulier sur cet élément.

- Utilisez cette affirmation incomplète : « La présentation est écourtée en raison de... » Le client sera presque toujours porté à finir cette phrase.

- Recevez cet avis comme un compliment et faites-en un élément de continuité : « Vous êtes sensibles au temps ? Moi aussi, et je vous remercie de me permettre d'aller droit à l'essentiel ! » Puis, annoncez le temps que vous mettrez à conclure.

- Invitez les personnes à afficher elles-mêmes le temps qu'elles vous accordent : « Et vous pouvez m'accorder combien de temps au juste ? »

- Dites en pourcentage où vous en êtes rendu dans votre présentation : « Il me reste seulement 15 % du contenu à présenter, je vais accélérer un peu et le tour est joué ! »

- Si le temps alloué est extrêmement serré et que cela risque de nuire à la conclusion, acceptez de bon gré ou proposez vous-même de reprendre la présentation à un autre moment. Dites, par exemple : « Nous avons fait les trois quarts du travail ; donnons-nous une période d'un jour pour préciser les éléments déjà acceptés. On se revoit demain à la même heure ? » Parions que l'on vous accordera du temps pour finir le jour même !

13.14.2 Si vous préférez négocier une nouvelle rencontre plus productive

- Faites vôtre la demande de report en proposant la date et le contenu de la prochaine rencontre. Par exemple, une dessinatrice de mode prépare le terrain : « Excellent, j'examine aujourd'hui les ajustements suggérés, et on se revoit demain matin même heure ? » Elle peut ainsi éviter de recommencer la présentation.

- Acceptez la rupture, mais donnez un « devoir » au client. Un agronome à son client : « D'accord, Mme Charbonneau, je reviens mardi pour finir la présentation de mon offre. D'ici là, je peux compter sur vous pour faire les premiers calculs de drainage ? » Il suscite la participation concrète de sa cliente dans la poursuite de la présentation.

• Transformez cette demande de rupture en élément de négociation sur le plan moral : « J'ai la *flexibilité* de revenir dans quelques jours ; vous avez la *détermination* de mener à terme cette rencontre jeudi ? » Une entente morale est souvent plus forte qu'une entente technique, en raison de l'engagement personnel qu'elle implique.

• Demandez sur quoi portera la prochaine rencontre : « J'accepte de finir demain si vous m'indiquez les deux derniers points que vous voulez analyser. »

• Amenez le client à faire de la prochaine rencontre un moment de décision : « J'accepte de terminer ma présentation en fin d'après-midi parce que je suis certaine que vous aurez d'ici là le temps de consulter votre associé. Nous serons alors bien placés pour conclure ! »

13.15 On tente de changer le sujet de votre présentation ?

Méfions-nous d'un partenaire qui propose une partie de cartes avant de finir la partie de billard. Pourquoi changer le sujet fondamental d'une présentation ?

Les signes annonciateurs

• On prend des notes de manière décousue.

• On change de page sans que vous ayez donné le signal ou on met carrément de côté votre document de présentation.

• On se montre peu attentif à vos propos.

• Certains se jettent des regards complices.

• On vous félicite pour un élément de votre présentation, en ouvrant la porte à un sujet très éloigné du vôtre.

Les tactiques à utiliser

• Validez la pertinence de l'écart et exploitez l'ouverture si elle semble prometteuse ou demandez un recentrage sur le sujet si la demande représente un écart inacceptable.

Si l'ouverture semble intéressante :

• Demandez au client de situer sa demande à l'intérieur de votre présentation, puis répondez avec intérêt.

• Félicitez le client de sa perspicacité et de sa vision, puis notez l'idée en disant qu'elle sera ajoutée à votre présentation.

• Demandez la permission d'explorer la piste ainsi mise de l'avant et prenez des notes en écoutant le client.

Si l'ouverture représente un écart inacceptable :

• Demandez poliment quel lien semble relier la demande à votre présentation ; déposez votre crayon et enlevez vos lunettes pour renforcer votre position.

• Demandez sur-le-champ un rendez-vous pour aborder cette question en temps et lieu. Cela permet de fermer la porte sur le sujet pour mieux l'ouvrir plus tard.

• Demandez poliment et fermement au client d'énoncer ses attentes. Par exemple, un consultant en aménagement paysager demanderait : « Et vous désirez aborder la question du cadastre parce que... » Cette affirmation coupée en plein envol amène presque toujours votre interlocuteur à finir la phrase de manière personnelle et précise. Souvenez-vous qu'une question précise risque de limiter la réponse, tandis qu'une affirmation incomplète représente une rampe de lancement !

13.16 On a modifié à votre insu la composition du comité d'analyse ?

Vous acceptez l'invitation d'un ami à jouer au billard, puis on vous annonce que l'ami est remplacé par un as ou par un débutant. Ce problème n'est pas aussi grave que vous le pensez, puisqu'il met en lumière plusieurs caractéristiques de la culture d'entreprise du comité ou du client visé. À vous d'en tirer un avantage.

Les signes annonciateurs

• Lors de votre entrée, les participants se regardent avant de vous regarder.

• Un membre du groupe laisse entrevoir un très léger froncement de sourcils ou un petit sourire fugace. On vous regarde comme un chat regarde une souris blessée.

Les tactiques à utiliser

• Cachez votre surprise en vous intéressant aux remplaçants, de manière à en faire rapidement des alliés.

• Souriez aimablement à tout le monde, mais de manière plus prononcée aux nouveaux membres du comité.

• Dites bonjour à une personne que vous connaissez déjà, en lui demandant de vous présenter celui qui s'est joint au comité. Vous devez avoir un contrôle parfait de votre langage non verbal pour éviter de laisser transparaître votre surprise ou votre méfiance envers ceux qui vous ont fait le coup !

• Souhaitez la bienvenue à toute personne qui s'est jointe au groupe ou qui remplace un participant.

- Vérifiez le degré de préparation des nouveaux : « Je crois que vous avez eu le temps de consulter l'annexe 3 ? » Si l'autre répond par l'affirmative, vous en avez fait un allié, car il a pu prouver à tous sa capacité de s'adapter rapidement.

13.17 On a modifié des normes sans vous en aviser ?

Vous êtes à un coup de gagner une partie qui a été chaudement disputée lorsque votre partenaire vous avise qu'il aurait préféré se prêter à un autre jeu. Il vous dit que le résultat de cette partie ne comptera pas. Vous acceptez cela ?

Les signes annonciateurs

- On vous annonce sans ménagement « un petit changement » qui, dans les faits, représente pour vous une modification majeure et inacceptable des critères.

- On s'excuse d'avoir oublié de vous aviser de ce « petit changement sans importance ».

- On vous annonce que ce « petit ajustement technique » ne devrait pas modifier votre présentation.

- On vous assure que ce « petit ajout » ne réduit aucunement vos chances de succès.

Les tactiques à utiliser

- Tout en demeurant totalement immobile, souriez assez largement, mais sans montrer les dents.

- Répétez calmement mais fortement les verbes au mode conditionnel que contenait l'affirmation du client : « Cela ne *devrait* pas modifier mon offre... » Notez attentivement la réaction non verbale du client afin de déceler s'il est conscient ou non des implications de la modification proposée. S'il semble surpris de votre réaction, il ignore probablement l'ampleur des implications de son changement ; s'il réagit plus fortement, il est peut-être surpris d'être ainsi mis en échec.

- Parlez en utilisant des verbes au présent pour rendre instable la proposition du client et pour donner plus d'impact à votre opinion. Le client qui présente une modification à l'aide du conditionnel, du passé ou du futur indique en fait son hésitation à transiger dans le présent.

- Déterminez les points ou éléments de votre offre qui sont directement touchés par la « petite modification ». Un ingénieur spécialisé en automates programmables énonce calmement : « Vous avez modifié le type de chauffage ; cela diminue immédiatement la stabilité du taux d'humidité dans le bâtiment, ce qui rend nécessaire un ajustement dans mes plans. »

- Offrez au client de choisir parmi deux conséquences qui découlent de ce petit ajustement. Le même ingénieur reprend ainsi : « Je propose de déterminer avec vous les endroits qui me permettent d'adapter mon offre pour respecter votre changement ou de simplement retirer un point dans mon offre. » Parions que le client voudra en savoir plus avant d'imposer son petit changement. En recourant à cette tactique, vous ne manipulez pas votre interlocuteur ; au contraire, vous l'obligez à réfléchir sérieusement.

13.18 On fait des blagues ?

Aimeriez-vous jouer au billard avec un partenaire dont les propos sèment la gêne ou la réprobation ? Il en va de même pour votre présentation. Comment réagir devant une blague déplacée ou un commentaire formulé de manière vicieuse ?

Les signes annonciateurs

- On rit un peu trop à un jeu de mots ordinaire, puis on en formule un deuxième plus osé.

- On commence le jeu de mots ou la blague avec une mise en garde faussement complice comme : « Maintenant qu'on se connaît, en voici une bien bonne... »

- On fait semblant de vous mettre en garde en disant : « Vous ne serez pas offusqué d'en apprendre une bonne... »

- On présente la grivoiserie sous le signe de la confrérie : « Entre nous, on peut rire ! »

Les tactiques à utiliser

- Même si la blague est drôle, retenez votre rire et continuez votre présentation.

- Laissez voir que la blague est incompréhensible. Dans tout autre domaine, vous gagnez rarement à ne pas saisir une idée ; profitez donc pleinement de cette rare occasion !

- Devenez plus sérieux en baissant un peu la tête et les bras. Évitez de paraître insulté ou catastrophé ; vous voulez seulement empêcher l'addition de blagues de mauvais goût qui réduiront votre présentation à un vague souvenir.

- Laissez entrevoir un léger et bref sourire, puis continuez la présentation. En riant d'une blague de mauvais goût, vous affichez votre appréciation du mauvais goût.

En revanche, une bonne anecdote ou un habile mot d'esprit peuvent détendre le joueur le plus taciturne. Vous pouvez considérer une blague de bon goût comme un témoignage de confiance et une expression de complicité.

13.19 On vous fait perdre votre idée ?

De toutes les maladies, l'amnésie est la plus « paralysante ». Cela est d'autant plus déplorable qu'elle est presque toujours causée par soi-même. Peu de gens ont la force psychique de faire disparaître vos idées ; ils peuvent nuire à votre réflexion, compliquer vos réponses, allonger vos explications, mais ils peuvent rarement provoquer l'amnésie. L'amnésie en pleine présentation est presque toujours le résultat d'une faute que vous venez de commettre. Bref, vous ignorez où vous en êtes et n'avez plus la moindre idée de votre orientation... parce que vous avez oublié votre objectif.

Les signes annonciateurs

Cette fois, ces signes sont les vôtres.

- Vous riez trop fort et trop longtemps à la suite d'une blague d'un participant.

- Vous êtes distrait par la beauté d'une personne du groupe.

- Vous amorcez une explication trop longue et complexe à une question qui ne demande qu'une réponse simple.

- Vous blaguez ou vous faites une parenthèse imagée qui s'éloigne trop du sujet.

- Vous cédez à la tentation d'improviser à un mauvais moment.

- Vous avez trop d'outils de présentation et vous vous y perdez.

Les tactiques à utiliser

• Remémorez-vous plusieurs fois en cours de route l'objectif de votre présentation, puis refaites l'exercice chaque fois que vous riez à une blague ou à un jeu de mots.

• Reliez toute blague ou diversion au contenu de la présentation.

• Comptez sur vos doigts le nombre de points mis de l'avant. Par exemple, si vous énumérez trois avantages, présentez-les en dépliant chaque fois un doigt de la main.

• En cas de panne de mémoire majeure, demandez à un membre du groupe de résumer la dernière idée : « Selon vous, le dernier élément pourrait impliquer quelle conséquence... ? » Visez une personne qui se montre attentive, car elle sautera sur l'occasion de se faire valoir et elle vous sauvera de la noyade !

• « Mieux vaut se taire et être ridicule que continuer à parler et d'en fournir des preuves additionnelles. » Votre tête est vide ? Revenez à votre scénario, de manière consciemment exagérée. Par exemple : « L'aiguille a sauté, alors je mets le disque au début ! » ou « Et comme rappel, je reprends au début ! » L'essentiel est de réduire votre embarras par votre langage non verbal et votre confiance en vous par vos paroles.

Conclusion

PROlonger le plaisir de la victoire

N'applaudissez pas sur les joues d'autrui.

VICTOR HUGO

D ans certains sports, notamment au football, on ne permet pas
la démonstration excessive de plaisir de la part d'un joueur qui
compte un but. L'égocentrisme de certaines manifestations par
trop exubérantes tend à faire déraper le centre d'intérêt vers un seul
joueur aux dépens de l'équipe. La même règle s'applique aux présentations réussies. Il est normal de ressentir une profonde et délicieuse
bouffée de plaisir à la suite d'une présentation parfaite; ce sentiment
de puissance provoque une impression d'invulnérabilité chez le gagnant que vous êtes. Cependant, cette impression de puissance peut
vous « couper les moyens » si vous vous laissez distraire de votre but.

Les dangers de trop savourer la victoire

La gratification d'avoir obtenu une place de choix sur la courte liste de fournisseurs d'une importante entreprise ressemble parfois à celle ressentie par un habile séducteur qui en vient à « aimer » la séduction elle-même. Trop de professionnels se laissent piéger par l'extraordinaire sensation de bonheur découlant de leur capacité de séduction. Plusieurs consacrent plus d'énergie à présenter une offre de service qu'à assurer la réalisation du mandat.

Notez votre degré d'acceptation des phrases suivantes afin de déterminer votre penchant pour la séduction entrepreneuriale.

	Rarement	Parfois	Souvent
1. Après une réussite, j'éprouve de la difficulté à me concentrer et j'ai envie de fêter.	❏	❏	❏
2. Après une réussite, je veux me lancer dans une nouvelle présentation pour profiter de mon état d'esprit.	❏	❏	❏
3. Je ne crois pas utile d'analyser ma réussite parce qu'une victoire se justifie d'elle-même !	❏	❏	❏
4. La personne qui fait la présentation a un mérite particulier en raison des difficultés surmontées.	❏	❏	❏
5. Parler de ses gaffes est gênant, car une foule de facteurs peuvent influencer la décision du client.	❏	❏	❏

Interprétation des résultats

Si vous avez coché partout la case « Rarement », vous êtes vacciné contre la maladie de la séduction. Vos succès vous motivent de manière sérieuse et agréable. Vous avez une vision du travail d'équipe qui est à la base des présentations réussies : le comptable vous fournit des chiffres précis, le planificateur vous fournit une vision stratégique du calendrier de production, etc.

Si vous avez surtout coché la case « Parfois », vous êtes sans doute un professionnel ambitieux qui aime savourer les moments de plaisir que procure la victoire. Cependant, vous vous habituez trop facilement à cette sensation de toute-puissance et vous tentez d'en prolonger indûment les effets. Votre vaccin perd de sa force ; prenez-en plus souvent et augmentez la dose !

Si vous avez surtout coché la case « Souvent », vous êtes habile et productif. Vous avez cependant une tendance à accaparer un peu trop de mérite et vous êtes probablement en train de réunir contre vous un trop grand nombre de collègues, qui n'apprécient pas la surcharge de travail que vos méthodes bouillantes et brouillonnes leur imposent. Attention : ils sont peut-être trop gentils pour vous le dire.

Des manières créatives et productives de savourer une victoire

Il est normal de savourer le plaisir d'une victoire de façon à en faire un élément motivant, non seulement pour vous mais surtout pour ceux qui ont contribué à votre réussite.

- Félicitez, de manière précise, publique et personnelle, au moins trois collègues de travail qui ont participé à la préparation de votre présentation.

- Racontez à vos collègues quelques péripéties de votre présentation, incluant à plusieurs reprises des expressions comme « Tu aurais aimé être là ! ».

213

- Proposez une brève rencontre de bilan au cours de laquelle chacun des collaborateurs présente les points forts de son volet de préparation. Mieux encore, demandez-leur de souligner un aspect utile de la collaboration d'un collègue d'un autre service.

- Rapportez le feed-back du client aux collègues qui apprécieraient cette information terrain.

- Établissez une liste des nouvelles objections ou esquives, puis invitez des collègues à les évaluer pour prévoir des répliques.

- Invitez à dîner les employés de bureau qui ont contribué à votre succès. Prenez le temps de leur raconter des anecdotes créant un lien entre leur travail et le résultat final. Demandez-leur de quelle façon vous pouvez modifier votre méthode de travail afin de rendre encore plus facile et productive leur collaboration.

- Si cela est possible, analysez l'offre ou la performance de vos concurrents.

Le défi de la continuité

Le joueur de billard vous expliquera l'importance de « gérer » les émotions que procure un bon coup. L'encadré ci-dessous résume cette idée.

Plaisir « du moment » traduit en expressions courantes	Plaisir « du mouvement » traduit en expressions courantes
Parfait ! Je suis bon !	Parfaite analyse ! Bon élan !
Au « boutte » !	Bien visé ! Beau mouvement !

L'intensité de l'émotion sur un mode « vertical » est forte et directe, mais éphémère. Par contre, l'émotion ressentie sur un mode « horizontal » est riche, stable et durable. Les meilleurs joueurs vous diront que les pointes d'émotions fortes déstabilisent le plan de match. Parmi les suggestions suivantes, repérez lesquelles sont susceptibles de vous être utiles.

- Vous pouvez inviter au moins un collègue à brosser un tableau des nouveaux mandats susceptibles de découler de ce contrat... s'il est mené à terme avec succès. Cette tactique offre l'avantage d'étendre dans le temps vos sentiments de puissance et de confiance.

- Vous pouvez établir la liste des données qui ont été utiles à votre présentation (félicitez la personne qui les a trouvées ou transmises).

- Vous pouvez dresser une liste des verbes qui ont semblé avoir eu le plus d'impact dans votre présentation.

- Vous pouvez faire un survol des attentes et des contraintes du client par rapport à votre projet afin de mettre en place les mesures essentielles au maintien de votre élan.

- Vous pouvez inviter des fournisseurs et des sous-traitants à une rencontre au cours de laquelle ces partenaires énonceront leur façon de tirer avantage de ce contrat.

- Vous pouvez relever des manières et procédures internes susceptibles de rendre encore plus performante la gestion des prochaines offres de service.

Bref, en gérant le succès de manière créative et collective, vous apportez à votre entreprise un élan de renouveau, un goût du dépassement.

La formation avec les autres

On gagne à suivre des cours en communication et en psychologie, surtout ceux qui portent sur le processus d'influence et de persuasion.

Un cours de philosophie portant sur l'argumentation peut aussi être très utile étant donné que les présentations impliquent presque toujours un rapport de force entre le client et le fournisseur. Plusieurs entrepreneurs performants optent pour des cours d'art dramatique. Des cours de gestion de projet ou de gestion du temps se révèlent à plusieurs égards essentiels au professionnel qui doit gérer de front plusieurs projets et présentations.

Avant de vous inscrire à un cours, demandez des références, soit à des anciens étudiants, à une association d'étudiants, à des leaders d'opinion ou à des intervenants réputés. Si personne ne peut vous fournir de références positives, évitez le cours ainsi que le professeur qui semble passer inaperçu !

Beaucoup diront ne pas avoir le temps ou le goût de suivre des cours de 30 ou de 45 heures. Pourtant, les avantages de suivre un cours sont évidents :

• Le cours vous donne la possibilité de « décrocher » de la routine une fois par semaine et de vous concentrer sur un seul sujet trois heures par semaine. Cet avantage à lui seul est parfois plus instructif que le contenu même du cours !

• Vous avez la certitude d'y rencontrer des gens qui partagent un même intérêt pour le sujet. Un habile entrepreneur a même pu y établir un réseau de contacts parmi des gens de la génération montante.

• Vous y apprenez les nouveaux « mots vedette » dans le milieu des affaires.

• Si vous persévérez et que vous obtenez une attestation d'études ou un diplôme, ce sera un élément de plus dans votre stratégie d'offres de service.

On se vante assez facilement de sa force, de sa forme physique et de son apparence ; alors pourquoi ne pas être fier de l'état de ses neurones ? Le cerveau, c'est comme un muscle : on s'en sert ou le perd.

L'autodidactisme

Comment se fait-il que le mot qui désigne la formation « sur le terrain » soit un terme qui sonne terriblement académique ? Certains estiment que la vie est une école ; c'est faux. Plusieurs ne font que répéter des années durant les mêmes comportements, les mêmes gaffes. On peut avoir 40 ans d'expérience sans avoir développé une « expertise ».

La formation sur le terrain est aussi exigeante que la formation sur les bancs d'école. Il ne suffit pas de s'abonner à un magazine d'affaires pour conclure que l'on est autodidacte. Les formules de formation terrain qui suivent le démontrent bien.

Activités	Efforts à faire
Participez à au moins trois colloques thématiques ou sectoriels par année.	Figurez chaque fois parmi les personnes qui posent des questions à l'animateur.
Visitez au moins trois foires par année.	Observez attentivement le comportement des représentants, écoutez leurs répliques aux objections pour ressentir leur interaction avec les visiteurs.
Bouquinez au moins quatre fois par année dans des librairies ayant une riche section « Affaires et communication ».	Choisissez chaque fois au moins un livre en fonction de la table des matières.
Conservez dans votre serviette un dossier étiqueté « À lire » rempli d'articles que vous n'avez pas eu le temps de lire.	Lisez dans les salles d'attente ou quand vous êtes en avion, en taxi, etc.
Assistez à des présentations dans des résidences.	Participez activement et observez les techniques d'animation qui ont fait la fortune de ces entreprises.
Joignez-vous à des comités d'évaluation ou de sélection d'associations à but non lucratif.	Apprenez les processus.

Lisez des biographies de gens qui ont réalisé de grandes choses dans des secteurs différents du vôtre.	Notez la logique et les moments de grande lucidité qui ont permis à ces personnes de faire une percée là où cela semblait impossible.
Donnez des allocutions lors d'activités de développement sectoriel.	Préparez une présentation de base que vous modifierez chaque fois pour apprendre à livrer plusieurs versions du même message.
Accueillez les nouveaux employés.	Préparez des explications imagées, des démonstrations et des mises en situation afin de développer l'habitude de communiquer de plusieurs manières devant des gens qui connaissent peu un sujet.
Visionnez des drames judiciaires.	Prenez note des tactiques pour présenter des preuves et des techniques pour répondre à des questions tendancieuses.
Observez des enfants qui jouent dans le carré de sable.	Notez leur phénoménale capacité de communication non verbale et leur capacité de présenter des arguments frappants pour arriver à leurs fins.

Homme-orchestre ou chef d'orchestre ?

À choisir entre devenir un homme-orchestre ou un chef d'orchestre, lequel des deux rôles est le plus susceptible de vous rendre heureux ? Les deux fonctions sont valables et utiles, c'est pourquoi vous devez faire votre choix à partir de votre ambition entrepreneuriale.

Si vous optez pour l'homme-orchestre, vous avez de vous-même l'image du solitaire efficace qui sait prendre sa place devant un public. Vous pouvez sans fausse modestie réclamer tout le mérite pour votre prestation. Plus vous serez populaire, plus vous serez fatigué !

Si vous optez pour le chef d'orchestre, vous avez de vous-même une image de collaborateur qui compte sur l'apport des autres pour mener à bien une prestation publique. Vous prenez plaisir à orienter et à alimenter un effort d'ensemble. Il vous arrivera aussi de vous sentir fatigué, mais vous pourrez compter sur l'aide énergisante de vos collègues.

Bibliographie

Maximes, par La Rochefoucauld, Éd. Booking International, Paris (ce livre toujours actuel et utile fut publié en 1665 par un aristocrate devenu militaire puis homme de lettres qui savait parler, présenter, persuader, charmer et guerroyer selon les circonstances et les buts).

L'art de la persuasion, par W. I. Nothstine, Éd. Presses du management, Paris (petit guide simple et direct, un peu sommaire).

Dictionnaire des expressions et locutions, par A. Rey et S. Chantreau, Éd. Robert-poche, Paris (un livre de référence très utile pour trouver des sujets et expressions qui accentuent la force et la profondeur de nos propos).

Perfectionnez votre mémoire, par Madelyn Burley-Allen (même éditeur, même commentaire).

L'art de trouver des idées, par Carol Kinsey-Goman (même éditeur, même commentaire).

Créatif de choc, par Roger Von Oech, Éd. Seuil, Paris (des propos brillants, par une personne brillante; un *must* pour comprendre la fonction du paradoxe et de l'ambiguïté «volontaire»).

Des présentations efficaces, par John Collins, Éd. Générales-First, Paris (bon survol, exemples pratiques).

Adieu patron !, bonjour coach !, par Dennis C. Kinlaw, Éd. Transcontinental, Montréal (on y présente des techniques d'animation et d'engagement, essentielles pour persuader des gestionnaires).

Le guide de la communication, par Jean-Claude Martin, Éd. Marabout, Paris (excellent livre grand format truffé de photos, images et *checklists,* avec volets Présentation, Animation, Convaincre. Un *must*).

Interpréter les gestes, les mimiques, les attitudes, par Allan Pease, Éd. Marabout, Paris (un petit bijou de livre de poche bourré d'exemples et d'images).

Communiquez pour convaincre, par Dany Dan Debeix, Éd. Axiome, Boulogne-France (une approche terrain, avec plusieurs résumés et schémas).

Mieux vendre avec la PNL, par Catherine Gudicio, Éd. de l'Organisation, Paris (petit guide qui présente l'approche de «programmation neurolinguistique» souvent très productive; par contre, on a bourré un trop grand contenu dans un trop petit guide!)

L'intelligence émotionnelle au travail, par Hendrie Weisinger, Éd. Transcontinental, Montréal (un livre de base pour les gens qui croient qu'il suffit d'avoir raison pour persuader les autres).

La qualité de service: à la conquête du client, par Jacques Horovitz, Interéditions, Paris (à lui seul, le chapitre portant sur l'identification des frictions prévisibles vaut le prix du livre).

Images de l'organisation (2ᵉ édition), par Gareth Morgan, Éd. PUL, Québec (gros livre parfois ardu qui permet de comprendre la perception « par analogies » que les gestionnaires ont de leur entreprise).

Secrets of Power presentations, par Peter Urs Bender, Éd.TAG, Toronto (un livre exceptionnellement direct et pratique qui devrait se trouver dans votre bibliothèque).

www.infopresse.com Pour être au courant des tendances et des initiatives en communication et marketing au Québec et au Canada.

www.salesdoctors.com Un site où l'on trouve un « journal » destiné aux professionnels de la sollicitation et de la présentation. On y présente des stratégies et tactiques et, notamment, le livre *Harnessing the power of body language,* par Art Seigle.

COLLECTION ENTREPRENDRE

L'art de communiquer
Ministère de l'Industrie et du Commerce

9,95 $
48 pages, 2000

Le travailleur autonome et son marché
Ministère de l'Industrie et du Commerce

9,95 $
48 pages, 2000

Le travailleur autonome et le développement de sa clientèle
Ministère de l'Industrie et du Commerce

9,95 $
48 pages, 2000

Les techniques de vente
Ministère de l'Industrie et du Commerce

9,95 $
48 pages, 2000

L'entrepreneuriat au Québec
Pierre-André Julien

39,95 $
400 pages, 2000

Les pionniers de l'entrepreneurship beauceron
Jean Grandmaison

24,95 $
165 pages, 2000

Le management d'événement
Jacques Renaud

24,95 $
222 pages, 2000

Marketing gagnant, 2e édition
Marc Chiasson

24,95 $
262 pages, 1999

L'aventure unique d'un réseau de bâtisseurs
Claude Paquette

24,95 $
228 pages, 1999

Réaliser son projet d'entreprise, 2e édition
Louis Jacques Filion et ses collaborateurs

34,95 $
452 pages, 1999

Le coaching d'une équipe de travail
Muriel Drolet

24,95 $
188 pages, 1999

Démarrer et gérer une entreprise coopérative
Conseil de la coopération du Québec

24,95 $
192 pages, 1999

Les réseaux d'entreprises
Ministère de l'Industrie et du Commerce

9,95 $
48 pages, 1999

La gestion du temps
Ministère de l'Industrie et du Commerce

9,95 $
48 pages, 1999

La gestion des ressources humaines
Ministère de l'Industrie et du Commerce

9,95 $
48 pages, 1999

L'exportation
Ministère de l'Industrie et du Commerce

9,95 $
48 pages, 1999

Comment trouver son idée d'entreprise
(3ᵉ édition)   24,95 $
Sylvie Laferté   220 pages, 1998

Faites le bilan social de votre entreprise   21,95 $
Philippe Béland et Jérôme Piché   136 pages, 1998

Comment bâtir un réseau de contacts solide   18,95 $
Lise Cardinal   140 pages, 1998

Correspondance d'affaires anglaise   27,95 $
B. Van Coillie-Tremblay, M. Bartlett et D. Forgues-Michaud   400 pages, 1998

Profession : patron   21,95 $
Pierre-Marc Meunier   152 pages, 1998

S'associer pour le meilleur et pour le pire   21,95 $
Anne Geneviève Girard   136 pages, 1998

L'art de négocier   9,95 $
Ministère de l'Industrie et du Commerce   48 pages, 1998

La comptabilité de gestion   9,95 $
Ministère de l'Industrie et du Commerce   48 pages, 1998

La gestion financière   9,95 $
Ministère de l'Industrie et du Commerce   48 pages, 1998

Le marketing   9,95 $
Ministère de l'Industrie et du Commerce   48 pages, 1998

La vente et sa gestion   9,95 $
Ministère de l'Industrie et du Commerce   48 pages, 1998

La gestion de la force de vente   9,95 $
Ministère de l'Industrie et du Commerce   48 pages, 1998

Le marchandisage   9,95 $
Ministère de l'Industrie et du Commerce   48 pages, 1998

La publicité et la promotion   9,95 $
Ministère de l'Industrie et du Commerce   48 pages, 1998

La gestion des opérations   9,95 $
Ministère de l'Industrie et du Commerce   48 pages, 1998

La gestion des stocks   9,95 $
Ministère de l'Industrie et du Commerce   48 pages, 1998

Les mesures légales et la réglementation   9,95 $
Ministère de l'Industrie et du Commerce   48 pages, 1998

La sécurité   9,95 $
Ministère de l'Industrie et du Commerce   48 pages, 1998